A TIPOLOGIA DE JUNG

Marie-Louise Von Franz e
James Hillman

A TIPOLOGIA DE JUNG

Ensaios Sobre Psicologia Analítica

Tradução

Adail Ubirajara Sobral
Ana Cândida Pellegrini Marcelo
Wilma Raspanti Pellegrini

Editora
Cultrix
SÃO PAULO

Título original: *Jung's Typology.*

1ª edição 1990.
2ª edição 2016.
5ª reimpressão 2025.

Editor: Adilson Silva Ramachandra
Editora de texto: Denise de Carvalho Rocha
Gerente editorial: Roseli de S. Ferraz
Produção editorial: Indiara Faria Kayo
Revisão técnica: Lucia Rosenberg e Gustavo Barcellos
Editoração eletrônica: Join Bureau
Revisão: Vivian Miwa Matsushita

Dados Internacionais de Catalogação na Publicação (CIP)
(Câmara Brasileira do Livro, SP, Brasil)

Franz, Marie-Louise von, 1915-1998.
A tipologia de Jung : ensaios sobre psicologia analítica / Marie-Louise von Franz e James Hillman, 2. ed. ; tradução Adail Ubirajara Sobral, Ana Cândida Pellegrini Marcelo, Wilma Raspanti Pellegrini. – São Paulo : Cultrix, 2016.

Título original: Jung's typology.
Bibliografia.
ISBN 978-85-316-1378-4

1. Jung, Carl Gustav, 1875-1961 2. Tipologia (Psicologia) I. Hillman, James. II. Título.

16-08574 CDD-150.1954

Índice para catálogo sistemático:
1. Psicologia analítica junguiana 150.1954

Direitos de tradução para a língua portuguesa adquiridos com exclusividade pela
EDITORA PENSAMENTO-CULTRIX LTDA., que se reserva
a propriedade literária desta tradução.
Rua Dr. Mário Vicente, 368 – 04270-000 – São Paulo, SP
Fone: (11) 2066-9000
E-mail: atendimento@editoracultrix.com.br
http://www.editoracultrix.com.br.
Foi feito o depósito legal.

SUMÁRIO

AGRADECIMENTOS

Os quatro capítulos que escrevi neste volume foram apresentados como uma série de palestras no Instituto C. G. Jung de Zurique, durante o semestre do inverno, em janeiro de 1961. A organização dos capítulos é ligeiramente diferente das palestras; as perguntas e respostas foram agrupadas e os editores foram organizando e reorganizando o material em capítulos.

Quero agradecer a Una Thomas, que datilografou as palestras, fornecendo a base para estes capítulos. Pela forma final em que este seminário aparece nesta edição, gostaria de agradecer a Murray Stein e, pela produção, a Valerie Donleavy.

Marie-Louise Von Franz
Zurique
Janeiro de 1971

1ª Parte

A FUNÇÃO INFERIOR

MARIE-LOUISE VON FRANZ

Capítulo I

CARACTERIZAÇÃO GERAL DA FUNÇÃO INFERIOR

Tipos Psicológicos é um dos primeiros livros de Jung. Ao escrevê-lo, sob muitos aspectos ele estava lutando com o desconhecido. Desde que o livro foi escrito, a ideia das quatro funções da consciência e do funcionamento da personalidade humana consciente, sob esse ponto de vista quátruplo, tem se mostrado muito produtiva. A ideia das quatro funções desenvolveu-se no pensamento de Jung e até se transformou no problema religioso do três e do quatro.

Para os que não estão familiarizados com esse campo, é preciso traçar um breve esboço das quatro funções na psicologia de Jung. Em primeiro lugar, ele distinguiu dois tipos de atitude: a extrovertida e a introvertida. Na atitude extrovertida, a libido consciente flui normalmente na direção do objeto, mas há uma reação contrária, secreta inconsciente voltada para o sujeito. No caso da atitude introvertida ocorre o oposto; a pessoa tem a impressão de que um objeto opressor quer constantemente afetá-la, objeto do qual ela deve afastar-se de maneira contínua. Tudo se abate sobre a pessoa, que é constantemente oprimida por impressões, embora não perceba que secretamente está tomando energia psíquica do objeto e passando-a a ele através da sua extroversão inconsciente.

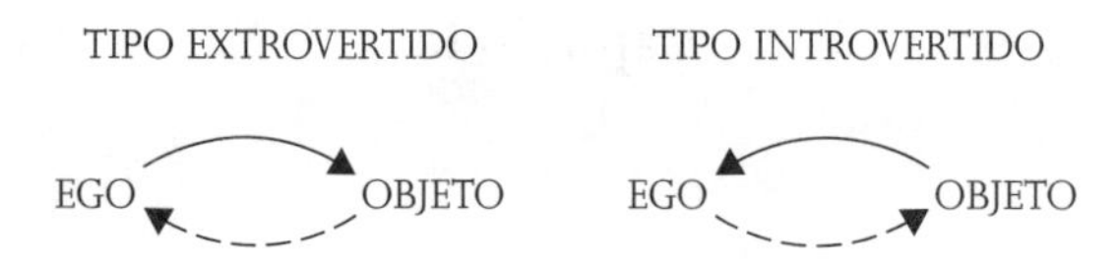

Este diagrama mostra a diferença entre o introvertido e o extrovertido. As quatro funções – percepção, pensamento, sentimento e intuição –, que podem ser extrovertidas ou introvertidas, produzem oito tipos: pensativo extrovertido, pensativo introvertido, sentimental extrovertido, sentimental introvertido etc.

Suponho que o leitor conheça a organização das funções, isto é, que as duas funções racionais – pensamento e sentimento – são opostas entre si, como o são as duas funções irracionais – percepção e intuição:

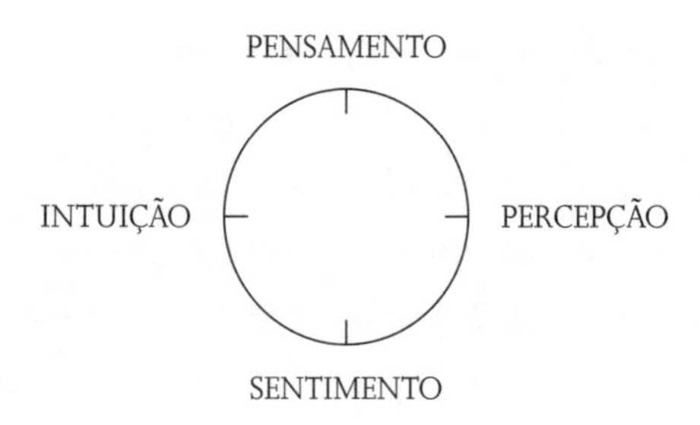

Uma questão tem sido frequentemente formulada: por que razão deve haver quatro funções? Por que não três? Ou cinco? Essa pergunta não pode ser respondida de maneira teórica: trata-se simplesmente da questão de se verificar os fatos e de ver se se consegue encontrar mais ou menos funções, ou alguma outra tipologia. Foi para Jung uma grande revelação o fato de, mais tarde, ter encontrado confirmação da sua ideia, concebida mais intuitivamente, na existência, nos mitos e no simbolismo religioso, de toda parte, modelo da estrutura quádrupla da psique. Estudando o comportamento dos seus pacientes ele descobriu que parecia ter encontrado uma estrutura básica da psique. A estrutura quádrupla básica da psique, que por certo transcende as funções conscientes, costuma ser representada como uma automanifestação puramente primitiva do inconsciente, em geral como quaternidade indiferenciada. Há apenas quatro princípios mais ou menos da mesma espécie: quatro cores, ou ângulos, ou deuses etc. Quanto mais eles estiverem ligados à consciência tanto mais tendem a tornar-se três animais e um ser humano ou três deuses bons e um deus mau. Também encontramos essas mandalas mais diferenciadas quando os quatro polos da estrutura quaternária são diferentes entre si, em especial se o material tiver sido muito bem trabalhado de maneira consciente. Neste ponto encontra-se sempre o clássico problema do três e do quatro a respeito do qual Jung tanto escreveu. Isso significa que quando, a partir dessa estrutura básica, uma ou outra função se torna consciente, ou, em condições ideais, três funções se tornam conscientes, há também a mudança da estrutura básica da psique.

Nem em psicologia nem em qualquer outro campo da realidade há um curso de ação unilateral, pois, se o inconsciente constrói um campo de consciência, a repercussão de tal mudança produz também uma alteração na estrutura do inconsciente. Portanto, quando se descobre que nos sonhos e no material mitológico essa estrutura básica aparece sob uma forma alterada, pode-se concluir que uma parte do problema das funções já se tornou consciente e que, devido à reação contrária, a própria estrutura básica da psique passa a ter uma forma transformada ou alterada.

A diferenciação dos tipos começa bem no início da infância. Por exemplo, as duas atitudes – a extrovertida e a introvertida – podem de fato ser observadas numa criança de um ano ou de um ano e meio de idade, embora nem sempre com muita clareza. Certa vez, Jung relatou o caso de uma criança que não entrava numa sala antes de lhe serem ditos os nomes das peças da mobília – mesa, cadeira etc. Isso é típico de uma atitude definidamente introvertida, na qual o objeto é terrificante e tem de ser banido ou posto em seu lugar por uma palavra, um gesto propiciatório que o torne conhecido e o impeça de ter mau comportamento. Por intermédio desses pequenos detalhes, se se souber identificá-los, poder-se-á observar a tendência para a introversão ou para a extroversão numa criança bem pequena.

Naturalmente, as funções não aparecem tão cedo, mas por volta da idade do jardim de infância costuma ser possível observar o desenvolvimento de uma função principal, através da preferência por alguma ocupação ou pelo comportamento da criança diante de outra. As crianças, como os adultos, tendem a fazer com maior frequência o que podem fazer bem e a evitar o que não podem. Provavelmente, a maioria das pessoas faz o que eu fazia com as minhas tarefas escolares: eu tinha aptidão para a matemática e fazia em primeiro lugar as tarefas relacionadas a ela, deixando para o final aquelas para as quais não tinha inclinação. É tendência natural adiar ou transferir para outras pessoas as coisas nas quais não nos sentimos superiores. Em decorrência desse comportamento natural, a unilateralidade vai sempre aumentando. Surge então a atitude familiar: o garoto muito inteligente deve prosseguir os estudos e a criança que apresenta aptidão para as matérias práticas deve tornar-se engenheiro. O ambiente reforça as tendências unilaterais existentes, as chamadas "aptidões", e há, portanto, um aumento no desenvolvimento da função superior e uma lenta degeneração do outro lado da personalidade. Este é um processo inevitável que até apresenta grandes vantagens. Muitas pessoas se enquadram nesse padrão, podendo-se definir imediatamente o seu tipo; já outras podem ser muito difíceis de definir.

Algumas pessoas têm problemas para descobrir o próprio tipo, o que se deve, muito frequentemente, ao fato de serem tipos distorcidos. Isso não é muito comum, mas acontece nos casos em que alguém, que originalmente seria um tipo sentimental ou um intuitivo, foi forçado pelo meio ambiente a desenvolver outra função. Suponha-se que um garoto tenha nascido um tipo sentimental numa família intelectualmente ambiciosa. Seu ambiente exercerá pressão para que ele se torne um intelectual e a sua predisposição natural como tipo sentimental será frustrada ou desprezada. Geralmente, em casos como esses, a pessoa é incapaz de tornar-se um tipo pensativo porque o passo seria grande demais. Porém, ela pode muito bem desenvolver a percepção ou a intuição, uma das funções auxiliares, a fim de adaptar-se melhor ao ambiente: a sua função principal está simplesmente "deslocada" do meio em que ela cresce.

Os tipos distorcidos têm vantagens e desvantagens. A desvantagem é que não podem desenvolver desde o começo a sua disposição principal, permanecendo um pouco abaixo do potencial que teriam alcançado se tivessem se desenvolvido unilateralmente. Por outro lado, são forçados antes da hora a fazer algo que na segunda metade da vida teriam de efetuar de qualquer forma. Na análise, muitas vezes é possível ajudar as pessoas a voltarem ao tipo original, tornando-as capazes de reativar a outra função com rapidez e de alcançar um estágio desenvolvido, porque a disposição original ajuda nessa direção. Elas são como peixes que podem então voltar felizes para a água.

Outro aspecto dos estágios iniciais, quando ainda se está desenvolvendo a função principal, é a tendência, nas famílias, de distribuir as funções: um dos membros é o introvertido da família, o outro, o engenheiro prático, um terceiro, o vidente e profeta, e assim por diante. Os outros abandonam felizes uma função porque um dos membros consegue executá-la muito melhor. Isso cria grupos vitais que funcionam bem, e os problemas só aparecem quando o grupo se separa. Na maioria das famílias, e também em outros grupos, há uma tendência muito forte para se resolver o problema das funções, distribuindo-as e confiando na função superior do outro.

Como Jung mostra, no casamento a pessoa tende a se unir com o tipo oposto e assim ela está, ou pensa estar, livre da desagradável tarefa de enfrentar a própria função inferior. Nos primeiros tempos de um casamento, essa é uma das grandes bênçãos e fontes de felicidade: de repente, todo o peso da função inferior desaparece, a pessoa vive em abençoada unidade com a outra e todos os problemas estão resolvidos!

Mas, se um dos cônjuges morre ou se surge para um dos dois a necessidade de desenvolver a função inferior em lugar de deixar esses setores da vida para o outro, surgem os problemas. A mesma coisa acontece na escolha do analista. As pessoas costumam escolher para seu analista o tipo oposto, por exemplo, o tipo sentimental não consegue pensar e por isso admira sobremaneira quem possa fazê-lo. Esta escolha não é recomendável, porque quando se está com alguém que sabe tudo, vêm o desânimo e a completa desistência. A pessoa pode sentir-se muito feliz porque agora alguém cuida do pensamento, mas essa não é uma solução adequada. Jung, por exemplo, sempre gostou de entrosar pessoas com os mesmos problemas porque, segundo ele, se dois idiotas se sentarem juntos e nenhum deles conseguir pensar, a dificuldade será tanta que ao menos um deles começará a pensar! Naturalmente, o mesmo acontece com as outras funções; as pessoas se acomodam e esperam que o outro faça o esforço. Algo a se ter em mente, em especial quando se é analista, é que, quando alguém procura o tipo oposto, deve-se ter muito cuidado para não exibir demais a função superior. Devemos, embora contra o nosso próprio sentimento real, fingir que não sabemos que nos sentimos incapazes, que não temos ideia, e assim por diante. Devemos renunciar à função superior a fim de não paralisarmos as primeiras tentativas tímidas que o analisando possa fazer nesse campo.

Se perguntarmos o que determina a disposição básica original, a resposta é que não sabemos! Jung diz no fim de *Tipos Psicológicos* que ela provavelmente tem um paralelo biológico. Ele assinala, por exemplo, as duas maneiras pelas quais as espécies animais se adaptam à realidade: ou reproduzindo-se tremendamente e tendo um mecanismo inferior de defesa, como as pulgas, os piolhos, e os coelhos, ou procriando muito pouco e construindo fortíssimos mecanismos de defesa, como o porco-espinho e o elefante. Assim, já na natureza, há duas possibilidades de lidar com a realidade: ou defendemo-nos dela, mantendo-a afastada enquanto construímos a nossa própria vida, ou caímos sobre ela, sobrepujando-a ou conquistando-a. Essas condutas seriam o funcionamento introvertido e extrovertido no reino biológico. Acho que até podemos ir mais longe. Quando Jung apresentou o seu livro sobre tipos, não havia ainda sido publicada muita coisa sobre o comportamento animal, mas nos livros modernos é possível verificar que entre os animais há um *mixtum compositum* de fatores na maioria dos padrões comportamentais. Assim, alguns aspectos do comportamento animal vêm mais do íntimo, isto é, surgem sem nenhum estímulo externo, ao passo que outros comportamentos animais dependem mais de estímulo exterior. Heinrich Hediger, professor de zoologia da Universidade de Zurique e diretor do zoológico da cidade, relatou em recentes conferências que os macacos antropoides superiores são incapazes de praticar o ato sexual a menos que o tenham observado em outros macacos e aprendido, ao passo que, com muitos outros animais, ocorre bem o contrário: sem nunca terem visto animais da sua espécie acasalando, o impulso interior é suficiente. Assim, se num zoológico os macacos superiores forem criados sem nunca verem um companheiro acasalando, esses animais se manterão ignorantes e incompetentes, como acontece com o ser humano. Portanto, é óbvio que o comportamento de um animal depende em parte de um fator exterior e é em parte condicionado por uma disposição inata. O padrão de comportamento é o resultado de uma interação mútua entre fatores internos e externos.

Têm sido feitas experiências de incubação de ovos de cegonha, sendo os filhotes afastados do contato com o grupo social. Quando esses pássaros são libertados, acontece o seguinte: a ninhada de pássaros proveniente dos ovos de grupos que voam da Iugoslávia para a África voará sobre aquele país e os que foram produzidos de ovos de pássaros que voam da Espanha para a África farão isso. Esse fato comprova que eles seguem inteiramente a disposição inata que lhes diz como chegar à África. Mas uma cegonha originária do grupo da Iugoslávia posta junto com os pássaros que voam sobre a Espanha voará com eles, deixando de seguir a sua disposição inata. Isso mostra com muita clareza as duas possibilidades: ser influenciado por fatores externos e pela pressão social ou simplesmente seguir a disposição inata. Estudar as pré-formas do tipo de atitude a partir das recentes descobertas sobre o comportamento animal seria um interessante tema de tese para um aluno do Instituto, pois, se nos perguntarmos como tais disposições se originam no homem, deveremos examinar antes a vida animal.

Gostaria agora de caracterizar a função inferior quanto ao seu comportamento geral. Pode-se afirmar que todas as funções superiores estão propensas a comportar-se de uma certa maneira; da mesma forma, a função inferior, seja qual for, tem um tipo geral de comportamento.

O comportamento da função inferior é magistralmente refletido nos contos de fada, que apresentam a seguinte estrutura. Um rei tem três filhos. Ele gosta dos dois filhos mais velhos, e considera o mais novo um tolo. Então o rei estipula uma tarefa pela qual os filhos têm de achar a água da vida, ou a noiva mais bonita, ou afugentar um inimigo secreto que todas as noites rouba os cavalos ou as maçãs de ouro do jardim real. Geralmente, os dois filhos mais velhos partem, não conseguem nada ou não voltam; então o terceiro sela o seu cavalo enquanto todas as pessoas caçoam dele e lhe dizem que seria preferível que ficasse em casa, perto do fogão, lugar ao qual pertence. Mas é ele que costuma desincumbir-se da grande tarefa.

Essa quarta figura – o terceiro filho, mas a quarta figura do conjunto – tem, de acordo com os mitos, qualidades superficiais diferentes. Algumas vezes é o mais jovem, outras é um pouco retardado ou ainda um tolo completo. As versões variam, mas ele está sempre numa dessas categorias. Num belo conto de fadas russo, por exemplo, o terceiro filho é considerado um completo idiota. Os dois filhos mais velhos saem do estábulo do pai em maravilhosos cavalos, mas o mais jovem pega um pequeno pônei mambembe, monta nele pelo lado errado – com a cabeça voltada para o rabo do animal – e sai ridicularizado por todos. Obviamente ele é Ivan, o herói russo, aquele que herda o reino. Há ainda temas como o do aleijado, o do soldado que desertou ou foi ferido e dispensado do exército e que está perdido na floresta. Pode ser também o do pobre menino camponês que se torna rei.

Em todos esses casos, sabe-se desde o começo que a história diz respeito a algo mais do que as quatro funções, pois o tolo é uma figura religiosa arquetípica que ultrapassa a função inferior. Ele implica uma parte da personalidade humana, ou mesmo da humanidade, que permaneceu para trás e que por isso ainda tem a totalidade original da natureza. Ele simboliza uma função específica principalmente religiosa. Porém, na mitologia, quando o tolo aparece como o quarto num grupo de quatro pessoas, temos uma certa razão em supor que ele representa o comportamento geral de uma função inferior. Ao interpretar contos de fada, tentei inúmeras vezes aprofundar os detalhes considerando o rei a função pensamento e o quarto filho, a função sentimento, mas na minha experiência isso não funciona. Temos de alterar o material e usar alguns artifícios desonestos para forçar os resultados. Assim, cheguei à conclusão de que não se pode ir tão longe, devendo apenas dizer que na mitologia o terceiro filho, ou o tolo, representa simplesmente o comportamento geral de uma função inferior, qualquer que seja ela; ele não é individual nem específico, mas sim um esboço geral.

Ao estudar casos individuais, observa-se que a função inferior tende a comportar-se como o herói tolo, o bobo divino ou o herói idiota. Ele representa a parte desprezada da personalidade, a parte ridícula e inadaptada, mas simboliza também a parte que constrói a conexão com o inconsciente, retendo, portanto, a chave secreta da totalidade inconsciente da pessoa.

Pode-se dizer que a função inferior sempre faz a ponte para o inconsciente. Ela é sempre dirigida para o inconsciente e para o mundo simbólico. Mas isso não quer dizer que ela seja direcionada para dentro ou para fora; isso varia de indivíduo para indivíduo. Assim, por exemplo, um tipo pensativo introvertido tem como função inferior o sentimento extrovertido; a sua ação estará voltada para objetos exteriores, para outras pessoas, mas estas terão para ele um significado simbólico, como portadoras de símbolos do inconsciente. O significado simbólico de um fato inconsciente aparece, no exterior, como a qualidade do objeto externo. Se um introvertido, com a sua maneira habitual de introspecção, disser que não precisa telefonar para a Sra. Fulana – ela é simplesmente o símbolo da sua *anima* e, por essa razão, simbólica; e a pessoa real não importa porque apenas aconteceu de a projeção cair sobre ela –, ele nunca chegará ao fundo da sua função inferior; jamais a assimilará como um problema porque o sentimento de um tipo pensativo introvertido costuma ser genuinamente extrovertido.

Com esse truque, ele simplesmente tenta tomar posse da sua função inferior, por intermédio da sua função superior, e incorporá-la ao seu íntimo. Para manter o predomínio da sua função superior sobre a inferior, ele introjeta no momento errado. Um introvertido que queira assimilar a sua função inferior deve relacionar-se com objetos externos, tendo em mente que eles são simbólicos. Contudo, ele não deve concluir que esses objetos sejam *apenas* simbólicos e que, portanto, possam ser deixados de lado.

Esse é um truque sórdido e desonesto que muitos introvertidos usam com a sua função inferior. Naturalmente, os extrovertidos fazem a mesma coisa de maneira inversa. Portanto, não se deve dizer que a função inferior sempre é dirigida para o interior. É dirigida sempre para o inconsciente, quer apareça no interior ou no exterior, e é sempre portadora de experiências simbólicas que podem vir de dentro ou de fora.

Um lado do esboço geral da função inferior é o fato de ela costumar ser lenta, ao contrário da função superior. Jung considera-a infantil e tirânica. Devemos tratar desse aspecto. Um dos grandes problemas da função inferior é a sua lentidão, razão pela qual as pessoas detestam começar a trabalhar com ela; a reação da função superior se exterioriza rapidamente, de forma bem adaptada, enquanto muitas pessoas não têm ideia de qual seja de fato a sua função inferior. Por exemplo, tipos pensativos não sabem se têm sentimento ou que espécie de sentimento possuem. Eles precisam sentar por meia hora e meditar se possuem sentimentos a respeito de algo e, se os tiverem, quais são eles. Se se perguntar ao tipo pensativo o que sente, ele geralmente responderá com um pensamento ou terá uma rápida reação convencional; e, se insistirmos em saber o que de fato sente, ele não saberá a resposta. "Tirar" isso do seu interior, por assim dizer, poderá levar meia hora. Outro exemplo: se o tipo intuitivo for preencher um formulário de imposto, necessitará de uma semana, enquanto outras pessoas levarão um dia. Ele simplesmente não consegue e, se tiver de fazê-lo direito e com precisão, levará um tempo excessivo. Conheço uma mulher de tipo introvertido intuitivo – e nunca mais irei com ela escolher uma blusa! Nunca mais! Ela leva uma eternidade, deixando malucos todos os vendedores da loja. Contudo, ela não pode se apressar: não adianta ficar impaciente. E, evidentemente, é por isso que é tão desanimador fazer vir à tona a função inferior – não se tem tempo para isso.

Não se pode evitar isso. É um estágio que não pode ser pulado. Se as pessoas perderem a paciência e disserem "para o inferno com isto", terão desistido. Essa atitude não é adequada, pois significa simplesmente que elas eliminaram a quarta função e a substituíram por alguma espécie de mecanismo artificial, por uma muleta. O processo não pode ser apressado e, se o for apenas numa pequena medida, ele não poderá jamais atingir a rapidez da função superior. Há boas razões para isso. Se se pensar no ponto crítico da vida e nos problemas do envelhecimento e da interiorização, ver-se-á que essa desaceleração de todo o processo da vida pelo acolhimento da função inferior é justamente o que se precisa. Assim, a lentidão não deve ser tratada com impaciência, nem se deve tentar educar a "maldita função inferior"; deve-se aceitar o fato de que nesse campo é necessário perder tempo. É aí que se encontra o valor do processo, porque isso dá ao inconsciente a chance de aproximar-se.

Outro aspecto típico da função inferior, que também se relaciona com a sua inadaptação e primitivismo, é a sua suscetibilidade e tirania. Quando se mexe com a função inferior, a maioria das pessoas fica terrivelmente infantil; elas não podem suportar a mais leve crítica e sempre se sentem agredidas. Nesse aspecto são inseguras e, por isso, tiranizam todas as pessoas à sua volta porque todos têm de agir com cautela. Dizer alguma coisa sobre a função inferior de outra pessoa é o mesmo que caminhar sobre ovos; as pessoas não conseguem suportar nenhuma crítica sobre isso. Faz-se necessária uma espécie de *rite d'entrée*. Deve-se esperar o momento certo, um ambiente tranquilo, e então, cuidadosamente, depois de um longo discurso introdutório, fazer uma leve crítica à função inferior. Contudo, fazer simplesmente uma crítica às pessoas servirá apenas para deixá-las furiosas e descontroladas, arruinando a situação. Há muitos anos aprendi esta lição, com espanto, quando ainda estava estudando. Uma colega mostrou-me um trabalho que havia feito. Ela era um tipo sentimental. O trabalho era muito bom, mas numa passagem sem importância, onde ela mudava de um tema para outro, pareceu-me que havia um hiato na ligação do pensamento. O que ela dizia estava muito certo, mas entre as duas passagens, para um tipo pensativo como eu, faltava a transição lógica. Então eu lhe disse que achava o trabalho excelente, mas que numa das páginas ela deveria fazer uma melhor transição. Diante disso, ela ficou totalmente descontrolada e disse: "Bem, então está tudo perdido, eu o queimarei" e arrancou-o da minha mão, dizendo:"Eu sei que é imprestável, eu o queimarei!" Eu o arranquei dela: "Pelo amor de Deus, não o destrua!" "Ora", ela falou, "eu sabia que você o consideraria um lixo", e seguiu nessa linha. Quando a tempestade passou, eu pude retomar a palavra e disse: "Você nem precisa redatilografá-lo, basta introduzir uma pequena frase para fazer a transição – apenas uma frase entre estes dois parágrafos". A tempestade começou de novo e eu desisti! Eu a vi mais tarde e ela me contou que na noite seguinte sonhou que a sua casa havia se incendiado e que, tipicamente, o fogo começara no telhado!

Pensei: Meu Deus, esses tipos sentimentais! Para ela fazer aquele trabalho havia sido uma façanha; externar alguns pensamentos fora exatamente o limite da sua capacidade. Ela simplesmente não podia suportar aquele detalhezinho... não fora sequer uma crítica, mas apenas a ideia de que o trabalho pudesse ser melhorado um pouco. Esse é um caso extremo do que acontece com a função inferior; ao ser suscetível, ela tiraniza o ambiente, porque toda suscetibilidade é uma forma de tirania secreta. Pessoas suscetíveis são apenas pessoas tirânicas, pois todas as demais têm de se adaptar a elas, sem que elas tentem adaptar-se às outras. Mas as pessoas bem adaptadas em geral ainda têm uma espécie de infantilidade, um ponto sensível sobre o qual não se pode dialogar com elas de maneira razoável; temos de agir como se estivéssemos lidando com tigres e elefantes.

Em *Les Rites de Passage*, de Van Gennep, encontram-se exemplos de como os exploradores se aproximam de aldeias primitivas. Eles têm de parar a muitas milhas de distância; três mensageiros da aldeia vão ao seu encontro; os nativos precisam estar seguros de que os exploradores não têm más intenções e especialmente não pretendem usar magia negra contra os habitantes do lugar. Então os mensageiros voltam à aldeia e, quando retomam, são trocados presentes. Algumas vezes até se trocam mulheres ou elas são oferecidas aos convidados, que dormem com elas, pois isso estabelece uma forma de parentesco; se um homem dorme com a esposa de outro, torna-se um parente deste, passando a ser da sua família. Os Naskapi, da Península do Labrador, por exemplo, fazem isso, e muitos esquimós emprestam suas esposas aos visitantes durante a noite. Isso é para prevenir qualquer espécie de explosão demoníaca, qualquer chance de que um hóspede possa assassinar as pessoas da casa ou de que o esquimó possa assassinar o hóspede. Entre muitos povos primitivos, há também uma troca de sangue: eles se cortam e trocam o sangue entre si. Há também uma maneira especial de beijar e de trocar presentes. Todos esses *rites de passage* surgem tão logo se tenha de estabelecer relacionamento no nível da função inferior.

No dia a dia se verifica a mesma coisa. Assim, por exemplo, pode-se conhecer alguém há dois ou três anos, mas somente no nível convencional de tomar chá ou jantar juntos, conversar sobre o tempo, falar sobre política ou questões teóricas, sem nunca ousar tocar nos pontos melindrosos de cada um ou manter a conversação sobre algum ponto delicado. Então, chega o dia em que sentimos que não se trata de uma relação autêntica e que não estamos realmente próximos. Um pouco de vinho e uma atmosfera favorável fazem os pontos não abordados virem à tona e um estimula o outro a confidências. Assim, através de todas as precauções da polidez, lentamente duas pessoas se aproximam de forma real. Não conheço outra forma além dessa. Essa é a maneira de abordar o outro lado, pois os pontos dolorosos geralmente estão ligados com a função inferior.

Há uma diferença entre a cortesia pessoal e esse tipo de cortesia. Tomemos um exemplo prático. Certa vez eu estava no carro com um homem do tipo intuitivo. Nós nos dirigíamos para casa, tarde da noite, e ele se esqueceu de ligar a ignição. Tentou e tentou de novo dar partida no carro, mas este não andou. Delicadamente, eu me aventurei a perguntar se ele tinha ligado a ignição. "Naturalmente" foi a resposta, mas com tamanha veemência que eu não ousei dizer mais nada! Era a sua percepção inferior que o dominava! Assim, passou-se meia hora e eu tinha certeza da causa do problema, mas não sabia como dizer-lhe isso! O mais leve indício de saber mais causaria uma explosão. Eu me senti tão desamparada, que tentei até encontrar uma oficina. Cheguei até mesmo a verificar a água, mas sabia todo o tempo o que estava errado. O que eu desconhecia era como fazê-lo entender. Havia a questão do seu prestígio! Preciso acrescentar que uma boa quantidade de álcool contribuía para esse *abaissement*, o que tornava a sua reação bem mais explosiva. Além disso, ele era mais velho do que eu e havia o problema de ser indelicada. Mas não é a persona, é outro tipo de polidez, trata-se de ter um sentimento e uma compreensão reais diante da fraqueza da outra pessoa e de não ousar tocar nessa fraqueza.

A função inferior e o ponto sensível estão inteiramente ligados. Se a sua função inferior não fosse a percepção ele não se sentiria tão ofendido. Nesse caso, quando eu lhe dissesse: Você acionou a chave?, ele teria respondido: "Oh, meu Deus", teria ligado o carro e nós teríamos partido. Mas, em lugar disso ficamos uma hora na estrada tentando adivinhar qual poderia ser o problema e eu simplesmente não sabia como abordar a área sensível da função inferior.

Esses exemplos também ilustram outra característica geral da função inferior, isto é, que uma tremenda carga de emoção está geralmente ligada a esses processos. Assim que se entra nesse campo, as pessoas se tornam facilmente emocionais. O exemplo mostra o lado negativo da ligação com as emoções, mas há também um aspecto muito positivo. No campo da função inferior há uma grande concentração vital; assim sendo, quando a função superior estiver gasta – quando começar a falhar, a perder gasolina como um carro velho –, a pessoa que conseguir voltar-se para a sua função inferior descobrirá um novo potencial de vida. Todas as coisas no campo da função inferior tomam-se excitantes, dramáticas, cheias de possibilidades negativas e positivas. Há uma tensão tremenda e o mundo é, por assim dizer, descoberto através da função inferior. Contudo, a desvantagem de voltar-se para a função inferior é que ela possui esse aspecto de inadaptação. É por isso que, nos contos de fada que mencionei, o tolo, o terceiro filho do grupo de quatro pessoas reais, é quem consegue encontrar a água da vida ou o grande tesouro. A função inferior traz uma renovação de vida se se permitir que ela surja em seu próprio campo. Muitas pessoas descobrem relativamente cedo na vida que o reino da sua função inferior é o ponto em que são emocionais, suscetíveis e inadaptadas, e, em consequência, adquirem o hábito de ocultar essa parte das suas personalidades com uma pseudorreação substituta. Por exemplo, um tipo pensativo muitas vezes não consegue expressar normalmente os seus sentimentos, de maneira apropriada e no momento certo. Pode acontecer que, quando tiver a notícia da morte do marido, de uma amiga, ele chore, mas, quando encontrar a viúva, não dirá uma palavra de consideração. Ele não só parece muito frio como na realidade não sente nada! Teve todos os sentimentos antes, ainda em casa, e na situação apropriada não consegue exteriorizá-los. Os tipos pensativos são muitas vezes vistos como se não tivessem sentimentos; esta não é absolutamente a verdade. Não é que não tenham sentimentos; eles apenas não conseguem expressá-los no momento apropriado. De algum modo e em algum lugar eles têm o sentimento, mas não quando deveriam demonstrá-lo. É um grande erro também presumir que os tipos sentimentais não pensam. Eles pensam muito bem e com muita frequência têm pensamentos profundos, bons, genuínos e não convencionais, mas esses pensamentos surgem e desaparecem ao bel-prazer. Exemplificando, é muito difícil para um tipo sentimental usar a maneira correta de pensar durante um exame; no momento em que ele tem de pensar, o pensamento simplesmente foge. Tão logo esteja em casa, ele consegue pensar de novo, mas o seu pensamento não obedece, não é amigável o suficiente para aparecer na hora certa. Esse tipo é visto pela sociedade como um estúpido, porque não consegue usar o seu pensamento à vontade.

A vida não tem misericórdia com a inferioridade da função inferior. É por isso que as pessoas exteriorizam reações dissimuladoras. Porque não são as suas reações reais, elas simplesmente as tomam do coletivo. Um tipo sentimental, quando pressionado para ter reações de pensamento, gosta de dizer lugares-comuns ou externar pensamentos que não são os seus, mas tem de pensar rápido e o pensamento real ainda não atingiu o nível em que possa ser expresso. Assim, eles fazem apenas algumas observações banais ou, o que é muito comum no tipo sentimental, usam material que decoraram. O mesmo é válido para tipos pensativos que assumem o hábito de manifestar uma espécie de sentimento agradável, convencional. Enviam flores, levam chocolate ou demonstram uma expressão bem convencional de sentimento. Por exemplo, eu redigi um modelo de carta de condolências com certas frases que considerei muito lindas e tocantes. Se tentasse expressar os meus sentimentos reais, eu me atolaria numa carta dessas por uns três dias! Assim, em todas essas situações, faço uma mistura de frases convencionais que reuni ao longo da vida. O mesmo se aplica aos intuitivos, cuja função inferior é a sensação; eles apenas seguem os modos convencionais de lidar com elas, apoiando-se no coletivo. Se alguém tentar ligar-se a outra pessoa, não deve deixar-se enganar por essas reações de adaptação. Por elas serem impessoais, banais e muito coletivas, sempre é possível percebê-las. Elas não têm qualidade pessoal convincente.

Ao examinar a interação dinâmica entre as funções, deve-se sempre reconhecer o controle que a função superior tem sobre a inferior. Quando alguém tenta encontrar a sua função inferior e experimenta um choque emocional ou dor ao enfrentar as suas verdadeiras reações, a função superior imediatamente diz: "Ah, é isso aí, agora precisamos organizá-lo". A função superior, como uma águia que agarra um camundongo, tenta tomar conta da função inferior e trazê-la para o domínio da função principal. Conheço um cientista nato, um tipo pensativo introvertido, muito bem-sucedido, que aos cinquenta anos ficou muito cansado do seu trabalho profissional e começou a pensar em explorar outras possibilidades. Sua esposa e sua família poderiam ter-lhe contado muita coisa sobre a sua função inferior sentimento, um campo de experiência bem diante do seu nariz. Ele tivera muitos sonhos em que colhia flores raras das montanhas, o que mostrava claramente para onde o inconsciente estava voltado. Ele tinha a típica função inferior do tipo pensativo, isto é, um sentimento particularmente raro e muito especial. As flores das montanhas têm um colorido muito mais intenso do que as da planície, e isso também é típico da função inferior do tipo pensativo. Ele imaginou ter tido uma boa ideia para o seu lazer e assim fez amizade com um botânico e, durante todas as suas férias, saía com ele para colher flores das montanhas.

Qualquer tentativa que outras pessoas fizessem no sentido de mostrar-lhe aquilo que ele poderia fazer em favor da sua função sentimento era recebida com a resposta de que ele havia abandonado a sua função principal e que *estava* realizando algo com o seu outro lado, isto é, estava estudando flores das montanhas! Assim, ele se deteve numa interpretação concretista em lugar de aceitar o sonho de maneira simbólica, tornando-o uma espécie de ciência.

Ele queria ter conhecimento daquelas flores; dessa forma, a função principal estava em ação outra vez e a função inferior foi frustrada novamente.

Tomemos um tipo irracional: há o intuitivo que se encontra numa situação em que deve usar a sua função inferior da percepção. Sente-se atraído pela ideia de esculpir pedras ou de trabalhar com argila. Com bastante frequência essa espécie de coisa ajuda a função inferior a se exteriorizar nos intuitivos, pois através desses meios eles podem ter contato com um propósito ou razão exteriores, com alguma espécie de material concreto, com a matéria. Talvez venham a moldar alguma coisa em argila, como, por exemplo, uma estátua bem infantil vagamente parecida com um animal. Então eles sentem que alguma coisa cresceu dentro deles, mas no mesmo instante – como uma águia – a intuição os ataca e diz: "Isto é o que deveria ser introduzido em todas as escolas..." Eles se voltam outra vez para a sua intuição, pensando em todas as possibilidades de moldar argila, do ponto de vista da educação da humanidade, do que a comporia, cogitando até se isso não seria a chave para o conhecimento da divindade. O intuitivo sempre introduz o mundo inteiro. Contudo, a única coisa que ele não considera é a moldagem de outra figura! A função principal delira outra vez. Tendo tido esse estimulante e vivificante contato com a terra, lá vai ele de novo para o ar! A mesma coisa acontece com o tipo sentimental que, diante da absoluta necessidade, às vezes produz alguns poucos pensamentos. Então, rapidamente, ele escapa desse banho turco e nunca retorna; contudo, ele tem uma percepção de como é o pensamento, de qual é o seu uso e assim por diante. Faz algumas avaliações em vez de continuar o processo. Dessa forma, a função superior tenta dominar a função inferior e organizá-la.

Outro aspecto da interação dinâmica das funções é a forma pela qual a função inferior invade a superior e a falsifica. Houve uma admirável demonstração desse fato há algum tempo, no caso de um certo professor K, que atacou a psicologia do inconsciente no *Neue Zürcher Zeitung*. Discípulo de Heidegger, ele é uma demonstração absoluta do pensamento introvertido levado ao extremo. Isso tem o infeliz efeito de impedi-lo de afirmar outra coisa além de que a vida é um fenômeno antológico da existência! Ele enriquece essa afirmação com uns poucos adjetivos impressionantes, mas não sai disso. Esse pensamento único, de que "a existência realmente existe", é para ele a plenitude divina, como também o foi para Parmênides. Ele não conseguia parar de nos reassegurar essa existência. Então ele diz: "Mas o inconsciente seria um estranho teatro de marionetes e de fantasmas". Aí está uma excelente ilustração do que Jung quer dizer quando afirma: "A fantasia inconsciente é proporcionalmente enriquecida por uma multiplicidade de fatos de formação arcaica, um verdadeiro pandemônio de fatores mágicos". É bem isso que o professor K expõe no seu artigo – a ideia do inconsciente é terrível, não passa de um pandemônio teatral – e ele salva a sua posição consciente afirmando simplesmente que o inconsciente não existe, que se trata de uma invenção dos psicólogos! Se se exagerar uma das atitudes conscientes, ela se torna pobre e perde a sua fertilidade: do mesmo modo, a contrafunção inconsciente, a função oposta, invade a função principal e a falsifica. Isso é óbvio no artigo do professor K: ele mostra que o seu sentimento está realmente preocupado com o esclarecimento da espécie humana quanto ao absurdo da ideia da psicologia do inconsciente. Ele perde inteiramente o estilo objetivo a que estamos acostumados na discussão científica e sente-se como um profeta cuja missão é salvar a humanidade de algum veneno terrível. Toda a sua moral ou função sentimento alcançou e contaminou o seu pensamento. Ele tornou-se subjetivo em lugar de objetivo, sendo óbvio que não leu a literatura sobre a psicologia do inconsciente.

Outra maneira pela qual a função inferior frequentemente invade a superior pode ser observada no caso de alguém de pés na terra, realista, um tipo perceptivo introvertido. Tipos perceptivos, introvertidos ou extrovertidos, costumam ser excelentes nas suas relações com dinheiro, não sendo muito extravagantes. Contudo, se tais tipos exageram nesse aspecto, a sua função inferior intuição se envolve. Conheci um tipo perceptivo que se tomou terrivelmente sovina, que não conseguia levar a vida adiante porque pensava assim: "Bem, na Suíça todas as coisas são caras". Quando se tenta descobrir a origem dessa repentina avareza – até então ele apenas tinha sido moderadamente sovina como a maioria das pessoas daqui –, percebe-se que ele imaginou uma grande quantidade de possibilidades sombrias em sua vida: ele poderia sofrer um acidente e ficar incapacitado para trabalhar e sustentar a família; algo podia acontecer a sua família; a sua esposa poderia vir a ter uma longa enfermidade; o seu filho poderia falhar nos estudos e precisar de mais anos de estudo; a sua sogra, uma mulher muito rica, poderia de repente desentender-se seriamente com ele e deixar a sua fortuna para outra família etc. Esses são exemplos dos temores sombrios sobre o que poderia acontecer.

Esse comportamento é típico de uma intuição inferior negativa. São consideradas apenas as possibilidades ruins. As primeiras exteriorizações da sua intuição reforçaram a sua sensação da forma errada, tornando-o avarento. A vida não fluía mais porque todas as coisas tinham sido falsificadas pela invasão da intuição inferior.

Quando chega o momento do desenvolvimento das outras funções, há geralmente dois fenômenos associados: a função superior degenera como um carro velho que começa a ruir e se torna gasto, e o ego fica aborrecido com ela porque tudo que se consegue fazer muito bem fica aborrecido; então, a função inferior, em lugar de aparecer no seu próprio campo, tende a invadir a função principal, tornando-a inadaptada e neurótica. Confronta-se assim com um *mixtum compositum* neurótico – um tipo pensativo que não consegue mais pensar ou um tipo sentimental que já não mostra nenhum sentimento agradável. Há um estágio de transição em que as pessoas não são nem peixe nem carne, nem mesmo um bom arenque vermelho. Antes pensavam bem, mas já não conseguem pensar e ainda não alcançaram um novo estágio. É, portanto, muito importante conhecer o próprio tipo e reconhecer o que o inconsciente está exteriorizando no momento, pois de outra forma se é apanhado pelo que vem atrás.

Uma das grandes dificuldades em definir o próprio tipo ou o tipo de outrem ocorre quando as pessoas já alcançaram o estágio de estarem saturadas com a sua função e atitude principais. Muito frequentemente elas nos afirmam, com absoluta sinceridade, que pertencem ao tipo oposto ao que realmente pertencem. O extrovertido jura que é profundamente introvertido e vice-versa. Esse comportamento surge do fato de que a função inferior subjetivamente sente que ela é a real, sente a si própria como a mais importante e verdadeira atitude. Assim, um tipo pensativo, por saber que em sua vida todas as coisas sob o aspecto sentimento são importantes, assegurará ser um tipo sentimental.

Portanto, não é bom pensar sobre o que importa mais quando se está tentando descobrir o próprio tipo; é melhor perguntar "o que eu costumo fazer mais?". Um extrovertido pode estar constantemente se extrovertendo, mas lhe assegurará, e acreditará nisso, que é profundamente introvertido e que se preocupa com as coisas interiores. Isso não é um logro; é assim que ele se sente, pois sabe que, embora se interiorize apenas um minuto por dia, aquele minuto é o que importa, é o momento em que está perto de si mesmo, em que é real. Também no campo da função inferior, a pessoa fica oprimida, infeliz, tem um grande problema, está permanentemente impressionada com as coisas, e portanto, de certa forma, a intensidade da vida é muitas vezes bem maior ali, em especial se a função superior já estiver esgotada. Do ponto de vista prático, é mais proveitoso, quando se quer achar o tipo de alguém, perguntar-lhe: qual a sua maior aflição? Onde está o seu maior sofrimento? Onde sente que vai de encontro a um obstáculo e padece como se estivesse no inferno? Isso em geral aponta para a função inferior. Além disso, muitas pessoas desenvolvem duas funções superiores tão bem que é muito difícil dizer se ela é um tipo pensativo intuitivo ou um tipo intuitivo com pensamento bem desenvolvido, pois os dois parecem se equiparar. Algumas vezes a percepção e o sentimento são tão bem desenvolvidos num indivíduo que se terá dificuldade em determinar o que está em primeiro lugar. A pessoa pensativa intuitiva sofre mais com os obstáculos advindos dos fatos da percepção ou dos problemas do sentimento? Pode-se decidir dessa forma qual a primeira e qual a segunda função bem desenvolvida.

Agora eu me voltarei para uma consideração geral do problema da assimilação da função inferior. Na primeira infância, a consciência se desenvolve a partir do inconsciente. Do nosso ponto de vista, o inconsciente é um fato primário e a consciência, um fato secundário.

Portanto, a totalidade do inconsciente e a estrutura da personalidade total existem, em termos temporais, antes da personalidade consciente, podendo ser vistas desta maneira:

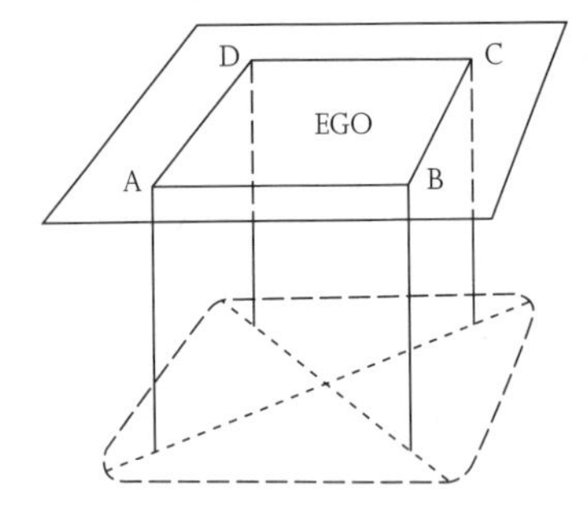

Estrutura quádrupla no campo de consciência tendo o ego como centro.

Estrutura quaternária total,pré-consciente, da personalidade.

Quando as funções se desenvolvem no campo de consciência – A B C D –, podemos dizer que em primeiro lugar surge, vindo de baixo, a função pensamento, a qual se torna então uma das principais funções do ego. A partir daí, na organização do seu campo de consciência, o ego usa principalmente a operação pensamento. Pouco a pouco aparece outra função e, gradualmente, todas elas – se as condições forem favoráveis – surgem no campo de consciência.

Entretanto, quando surge a quarta função, toda a estrutura superior desmorona. Quanto mais se puxa para cima a quarta função, tanto mais o andar superior cai. Um erro que algumas pessoas cometem é pensar que podem elevar a função inferior ao nível das outras funções conscientes. Posso apenas dizer: "Bem, se você quer fazê-lo, tente. Contudo, você poderá ficar tentando para sempre!" É absolutamente impossível elevar a função inferior como um pescador o faz com a sua vara, e todas as tentativas de, por exemplo, acelerá-la ou educá-la para aparecer no momento certo só resultam em fracasso. Pode-se tentar forçá-la a funcionar num exame ou em determinadas situações da vida, mas o êxito somente alcança determinado grau e apenas usando-se material convencional, tomado de empréstimo. Não se pode elevar a quarta função, pois ela insiste em permanecer embaixo. Está contaminada pelo inconsciente e persiste nessa condição. Tentar pescá-la é como tentar trazer para o consciente todo o inconsciente coletivo, o que simplesmente não se pode fazer. O peixe será muito grande para a vara. Então qual a solução? Reprimi-la de novo? Isso é regressão. Mas se você não ceder, há apenas a outra alternativa: o peixe o puxará para dentro d'água! Esse é o momento do grande conflito que, para o tipo pensativo, por exemplo, significa o famoso *sacrificium intellectus* e, para o tipo sentimental, o *sacrificium* do seu sentimento. É ter a humildade de se descer com as outras funções para aquele nível inferior. Essa conduta produz então um estágio entre as duas camadas, mais ou menos no nível em que nada é pensamento, sentimento, percepção ou intuição. Surge algo novo, isto é, uma atitude completamente diferente e inédita em relação à vida, na qual se usam todas e nenhuma das funções durante todo o tempo.

Com frequência alguém dirá ingenuamente que é um tipo pensativo e que agora irá desenvolver a sua função sentimento! Que ilusão! Se uma pessoa for um tipo pensativo, em primeiro lugar, poderá ir ou para a percepção ou para a intuição. A opção é dela. Daí ela passa ao oposto da função secundária escolhida e, por fim, à função inferior. Ela não pode partir diretamente para a função oposta. A razão é muito simples: a função principal e seu oposto se excluem completamente, são incompatíveis. Tomemos o exemplo de um funcionário do governo que tem de planejar a evacuação da população de uma cidade, da melhor maneira possível, sob determinadas condições. Por infelicidade, esposa e filhos estão na mesma cidade. Se ceder aos seus próprios sentimentos relacionados com a família, ele não desenvolverá um plano bom, não será capaz disso. Precisa apagá-los de sua mente e dizer para si mesmo que o seu trabalho agora é o de planejar a evacuação o melhor que puder. Ele deve considerar os próprios sentimentos como mero sentimentalismo. Essa depreciação tem o objetivo de deixá-lo livre. Não se consegue dar um salto direto de uma função para o seu oposto, mas pode-se assimilar pensamento com percepção ou fazê-los funcionarem juntos. É possível combinar as duas outras funções auxiliares muito facilmente, de tal forma que no salto de uma para outra não se sofra tanto quanto se sofreria se se tivesse de saltar para a função oposta. Quando alguém tem de se locomover da intuição para a percepção, poderá usar a função pensamento como juiz e, na ocasião em que a intuição e a percepção estiverem lutando, ele poderá afastar-se da luta através do pensamento.

Se tenho como analisando um tipo pensativo, nunca o precipito imediatamente para o sentimento. Primeiro faço as outras funções serem assimiladas até um certo ponto. É um erro esquecer esse estágio intermediário. Tomemos o exemplo de um tipo pensativo que se apaixona loucamente por uma pessoa bastante desapropriada por causa do seu sentimento inferior. Se já desenvolveu a percepção, o que implica certo sentido da realidade, e a intuição – a capacidade de antecipar um problema –, ele não agirá tão desavisadamente. Mas se for apenas um tipo pensativo unilateral e se vier a apaixonar-se pela mulher errada, e não tiver um sentido de realidade nem intuição, acontecerá o que foi maravilhosamente descrito no filme *O anjo azul*, no qual um professor se torna um palhaço a serviço de uma mulher fatal. Não há campos intermediários onde ele possa se apoiar – ele está inteiramente dominado pela sua função inferior. Mas se o seu analista puder, embora ele ainda não tenha muito sentimento, levá-lo a desenvolver ao menos um certo sentido da realidade, ele poderá vencer a dificuldade com a função intermediária. Penso que, para um analista, é bom ter em mente que ninguém deve jamais passar diretamente para a função inferior. É claro que a vida faz isso; a vida não se importa! Mas o processo analítico não deve seguir esse caminho e normalmente não o faz se se seguirem os avisos dados pelos sonhos. A tendência do processo é que o desenvolvimento siga um movimento espiralado. Esse é o caminho normal, através do qual o inconsciente tenta elevar a função inferior.

Isso encerra o meu esboço geral do problema da função inferior. O próximo passo será dar uma breve descrição da aparência da função inferior de cada tipo na vida prática.

(Segue-se um período de perguntas e respostas)

Pergunta: Por que os artistas tendem a fugir da análise?

Dra. Von Franz. Frequentemente os artistas pensam que a análise irá educar a sua função inferior em tamanha proporção que eles perderão a sua criatividade. Contudo, isso é inteiramente impossível. Não há perigo, porque, mesmo que o analista seja estúpido o bastante para tentá-lo, não o conseguiria. A função inferior é como um cavalo que não pode ser domado. Ela pode ser subjugada, tanto que ninguém faz coisas estúpidas o tempo todo. Nesse sentido, muita coisa poderá ser feita. Eu sempre me lembro de uma história ligada ao meu pai. Ele comprou um cavalo grande demais para ele – meu pai era um homem pequeno. No exército, esse cavalo era olhado como um criminoso, porque ninguém conseguia fustigá-lo; ele disparava e derrubava o seu cavaleiro. Meu pai se encantou com esse belo cavalo e o comprou, fazendo um pacto com ele: "Eu não fustigo você se você não me derrubar". Isto é, meu pai tratou-o como a um igual e ele se tornou o seu melhor cavalo. Chegou mesmo a vencer muitas corridas com ele, mas, em ocasiões em que outros teriam usado o chicote, ele não o fez. Se o tivesse fustigado, teria sido derrotado. O cavalo se deixava adestrar e, através de treinamento intensivo, o meu pai pôde transmitir os seus desejos a ele, que passou a fazer mais ou menos o que meu pai queria. Isso é o máximo que se pode conseguir com a função inferior. Nunca se pode governá-la ou educá-la e fazê-la agir como se gostaria, mas se você for inteligente o bastante e estiver disposto a ceder, será capaz de organizá-la de tal forma que ela não o derrube. Ela o derrubará algumas vezes, mas não no momento errado.

Pergunta: Há uma situação em que as funções não se diferenciem unilateralmente?

Dra.Von Franz. Sim. Por exemplo, as pessoas que ainda vivem completamente em contato com a natureza, como os camponeses, os caçadores, os bosquímanos, a respeito dos quais Laurens van der Post escreveu, não sobreviveriam se não usassem mais ou menos todas as suas funções. Um camponês jamais poderá tornar-se tão unilateral quanto um habitante da cidade; ele não pode ser só um intuitivo, simplesmente tem de usar a sua percepção; contudo, ele não pode usar só isso, porque tem de planejar a sua atividade – quando a semeadura deve ser realizada e que espécie de cenoura ou de trigo deve ser plantada, qual a quantidade e quais os preços. De outra forma, ele estaria imediatamente arruinado. Ele precisa também usar um pouco de sentimento, porque não se pode lidar com a família e com os animais sem isso, e deve ter certo faro a respeito do tempo e do futuro em geral, pois, caso contrário, estará sempre com dificuldades. Assim, em situações naturais, as coisas são ordenadas de tal forma que até certo ponto devem-se usar todas as funções. É por isso que as pessoas que vivem em condições naturais quase nunca se tornam tão unilaterais. Esse é o velho e bem conhecido problema da especialização. Mas também entre povos primitivos pode-se observar em geral uma divisão de funções. Por exemplo, um camponês meu vizinho sempre pergunta ao pescador que vive com ele como estará o tempo. Ele diz que não sabe como o pescador consegue prever, mas o fato é que ele o faz, e por isso o camponês não se dá esse trabalho. Ele confia na intuição do outro e não usa a sua. Assim, mesmo no campo, esses povos tendem a entregar certas funções a outros que são melhores especialistas. Porém, eles não conseguem realizá-las de forma completa como os especialistas da cidade o fazem. Assim, por exemplo, se você for um solteirão e trabalhar sozinho num escritório de estatística, realmente não necessitará de quase nenhum sentimento. Isso, naturalmente, tem consequências desagradáveis, mas no mundo da natureza simplesmente você não poderia prescindir de nenhuma das funções.

Pergunta: Quando alguma coisa é inconsciente, seja para o extrovertido ou para o introvertido, ela aparece sempre no exterior, em sua forma projetada?

Dra. Von Franz. Não. Eu tenho visto que, no caso dos extrovertidos, muito frequentemente ela aparece sob a forma de uma visão ou de uma fantasia. Muitas vezes me impressionei com o fato de que os extrovertidos, quando contatam o seu outro lado, têm uma relação muito mais pura com o interior do que o introvertido. Tenho ficado até enciumada! Eles têm uma relação ingênua, genuína e pura com os fatos interiores, porque conseguem ter uma visão e levá-la de imediato a sério de forma bem ingênua. Num introvertido, essa visão é sempre distorcida pela sombra extrovertida, que a coloca em dúvida. Pode-se dizer que, se um extrovertido entrar na sua introversão, esta será especialmente genuína, pura e profunda. Comumente, os extrovertidos têm tanto orgulho disso que se vangloriam com espalhafato de serem grandes introvertidos. Eles tentam tornar isso um troféu – o que é tipicamente extrovertido – e assim arruinam tudo. Contudo, se eles não estragarem a introversão com a vaidade, pode-se observar que podem ter uma conduta introvertida muito mais infantil, ingênua, pura e realmente genuína do que os introvertidos. O mesmo acontece com o introvertido; se acordar para a sua extroversão inferior, ele poderá espalhar à sua volta um calor de vida, tornando seu ambiente um festival simbólico, melhor do que qualquer extrovertido! Poderá dar à vida exterior uma profundidade de significado simbólico e um sentimento vital semelhante a uma festa mágica, algo que o extrovertido não consegue. Se um extrovertido for a uma festa, estará pronto a dizer que todos são maravilhosos e "Vamos, continuemos com a festa". Contudo, essa é uma técnica e, por isso, a festa nunca, ou muito raramente, alcançará uma profundidade mágica, mantendo-se num agradável nível superficial. Mas se um introvertido conseguir trazer para fora sua extroversão de maneira adequada, poderá criar uma atmosfera onde as coisas externas se tornam simbólicas: tomar um copo de vinho com um amigo se transforma em algo como uma comunhão, e assim por diante. Entretanto, não se deve esquecer que a maioria das pessoas esconde o seu lado inferior genuíno com uma pseudoadaptação.

Capítulo II

OS QUATRO TIPOS IRRACIONAIS

A – O tipo perceptivo extrovertido: intuição introvertida inferior

O tipo perceptivo extrovertido é representado por alguém cujo dom e função especializada é sentir e relacionar-se com os objetos externos de uma forma concreta e prática. Esses indivíduos observam todas as coisas, cheiram tudo e, ao entrarem num ambiente, percebem quase que imediatamente quantas pessoas estão presentes. Além disso, eles notam se a sra. fulano de tal estava lá e o que estava vestindo. Se se fizer essa indagação a um intuitivo, ele dirá que não percebeu e que não tem a mínima ideia a respeito da sua roupa. O tipo perceptivo é um mestre em perceber detalhes.

Há a famosa história de um professor de jurisprudência que tentou demonstrar a seus alunos a inconfiabilidade das testemunhas. Duas pessoas entraram na sala, trocaram algumas palavras e começaram a brigar. Ele as separou e disse: "Agora, senhoras e senhores, por favor, escrevam exatamente o que viram". O professor mostrou então que ninguém foi capaz de fazer uma descrição exata e objetiva do que havia acontecido. Todos eles perderam certos detalhes. Com base nesse incidente encenado, ele tentou mostrar aos alunos que eles não deveriam confiar excessivamente em testemunhas oculares. Essa história ilustra a tremenda relatividade individual da percepção. Ela é apenas relativamente bem desenvolvida: alguns são mais e outros menos dotados em relação a ela. Eu diria que o tipo perceptivo extrovertido provavelmente alcançaria a maior marca de pontos e perderia o menor número de detalhes. Ele tem, por assim dizer, o melhor aparelho fotográfico; pode rápida e objetivamente se relacionar com fatos externos. É por isso que esse tipo é encontrado entre bons montanhistas, engenheiros e homens de negócio, que têm uma imensa e exata consciência da realidade externa em todas as suas diferenciações. Esse tipo percebe a textura das coisas – se seda ou lã. Terá certa sensibilidade para o material. Geralmente o bom gosto também está presente.

Jung diz que esses indivíduos muito frequentemente dão a impressão de serem desalmados. A maioria das pessoas já encontrou "o famoso" engenheiro frio, que dá a impressão de só se dedicar a máquinas e óleos e que vê todas as coisas sob esse ângulo. Ele não transmite nenhum sentimento e não parece pensar muito. A intuição também está completamente ausente, sendo para ele o reino das loucas fantasias. O tipo perceptivo extrovertido chama todas as coisas que se aproximam da intuição de "fantasia doida", imaginação completamente idiota, algo que não tem nada que ver com a realidade. Ele pode até não gostar do pensamento, pois, se for muito unilateral, considerará que pensar é entrar no abstrato em lugar de ater-se aos fatos. Conheci um tipo perceptivo extrovertido, um professor de ciências naturais a quem nunca poderíamos propor uma questão teórica geral; ele chamaria isso de entrar no pensamento abstrato e diria que devíamos nos ater aos fatos – olhar para a minhoca, verificar a sua aparência e então desenhá-la ou olhar pelo microscópio e descrever o que se vê lá. Isso é Ciência Natural e todo o resto seria fantasia, teoria e contrassenso. Ele era muito bom para explicar como as fábricas fazem certos produtos químicos, e eu ainda sei de cor o processo Haber Bosch. Mas, quando se tratava da teoria geral da inter-relação dos elementos e outras coisas do gênero, ele não nos ensinava muito. Ele disse que na ciência esses assuntos ainda eram incertos e que ainda se tratava de teoria que mudava todos os anos e estava em constante evolução. Assim, ele pulava esse lado do trabalho.

Para esse tipo, todas as coisas que possam representar um pressentimento ou uma adivinhação aparecem sob forma desagradável. Se tal pessoa tiver intuições, estas serão de natureza suspeita e grotesca. Certa vez, esse professor, para a nossa diversão, se aventurou na grafologia. Um dia eu levei a ele uma carta escrita pela minha mãe desculpando-me por não ter ido à sua aula por causa de um resfriado. Ele olhou para a escrita e disse: "Sua mãe escreveu isto?" Eu disse: "Sim". Ele apenas respondeu: "Pobre criança". Ele somente sentia o negativo! Ele era assim. Tinha pressentimentos suspeitos a respeito de seus colegas e alunos. Podia-se observar que ele tinha uma espécie de intuição sombria sobre alguma coisa tenebrosa, pois a sua intuição, sendo inferior, era como um cachorro remexendo uma lata de lixo. Essa espécie de intuição inferior muito frequentemente estava certa, mas algumas vezes era completamente errada. Em determinadas ocasiões, ele tinha apenas ideias persecutórias – suspeitas sombrias sem nenhum fundamento. Um tipo que é tão apurado no campo dos fatos pode, de repente, ter premonições suspeitas, melancolia, ideias de possibilidades ruins, não se sabendo como essas coisas afloram inesperadamente. É assim que, nesse caso, aparecia a intuição inferior.

No tipo sensitivo extrovertido, a intuição inferior comumente circula em volta da posição do sujeito, muitas vezes sob a forma de sentimentos, pressentimentos ou premonições sombrios sobre enfermidades que poderia contrair ou outros infortúnios que poderiam cair sobre ele. Isso significa que a intuição inferior é em geral egocêntrica. A pessoa tem com frequência uma espécie de atitude negativa, autodepreciativa. Contudo, se tivermos contato com essas pessoas quando estiverem um pouco embriagadas ou muito cansadas, ou se as conhecermos tão intimamente a ponto de elas nos mostrarem o seu outro lado, elas relatarão as mais divertidas, estranhas e extraordinárias histórias de fantasmas.

Conheci uma mulher que era uma das melhores montanhistas da Suíça. Ela era obviamente um tipo perceptivo extrovertido: para ela contavam apenas os fatos racionais e todas as coisas tinham suas causas naturais. Ela conseguia escalar muito bem não apenas as 4 mil montanhas da Suíça, como também todas as cadeias de montanhas dos Alpes: a francesa, a da Saboia e a austríaca. Mas em noites escuras, com um bom fogo queimando, ela se transformava e contava as mais extraordinárias histórias de fantasmas, do tipo que normalmente se ouve entre os pastores e os camponeses. Era uma maravilha ouvir, vinda dela, essa fantasia primitiva. Na manhã seguinte, quando punha as suas botas, ela se divertia com o acontecido e dizia que tudo não passara de insensatez. O que esse tipo de pessoa intui é comumente uma expressão do seu problema pessoal.

Outro aspecto da intuição inferior do tipo sensação extrovertido é uma repentina atração por antroposofia ou por alguma outra mistura de metafísica oriental, em geral de tipo bem transcendental. Muitos engenheiros realistas assumem tais atividades com um espírito totalmente desprovido de crítica e se perdem nisso. Isto acontece porque a sua intuição inferior tem um caráter arcaico. É curioso que em suas escrivaninhas seja comum encontrar textos místicos, mas bem de segunda classe. Se indagados por que leem tais livros, eles dirão que é apenas uma tolice, mas que os ajuda a dormir. A sua função superior ainda está negando a inferior. Contudo, se se perguntar aos Antroposofistas de Dornach quem forneceu dinheiro para os seus prédios, descobrir-se-á que ele veio justamente desses tipos perceptivos extrovertidos. A nação americana tem um grande número de tipos sensitivos extrovertidos e é por isso que tais movimentos estranhos florescem especialmente bem nos Estados Unidos, num grau maior do que na Suíça. Em Los Angeles, podem-se encontrar quase todas as espécies de seitas fantásticas.

Eu me lembro de certa ocasião em que analisei um desses tipos. Um dia recebi um telefonema dele. Estava soluçando ao telefone, afirmando estar muito aflito. "Aconteceu. Eu não posso dizer-lhe, estou em perigo!" Ele não era uma pessoa histérica, não tinha uma psicose latente ou alguma coisa do tipo. Jamais se esperaria que ele se comportasse dessa maneira. Fiquei aturdida e perguntei-lhe se seria capaz de ir à estação, comprar uma passagem e vir para Zurique, pois ele estava morando em outra cidade. Ele respondeu que achava que conseguiria e eu lhe disse que viesse. Quando chegou, ele já havia conseguido voltar para a sua sensação superior; trouxe-me um cesto de cerejas que comemos alegremente. Eu disse: "E agora?" Mas, ele não conseguiu sequer me contar! Enquanto ia à estação e comprava as cerejas, ele voltara ao nível superior. Por um minuto ele fora alcançado pelo outro nível e a única coisa que consegui dele foi "Por um instante soube o que Deus era! Foi como se eu tivesse percebido Deus! E isso me chocou tanto que eu pensei que fosse enlouquecer, mas agora a sensação se foi! Eu me lembro do fato, mas não posso transmiti-lo e já não o sinto". Assim, através da função inferior, a intuição, ele de repente teve contato com todo o inconsciente coletivo e com o Si-mesmo. Em um segundo – como um relâmpago –, veio tudo à tona e abalou totalmente a parte superior da sua personalidade, mas ele não conseguiu manter-se nesse estado. Era o começo da exteriorização da intuição inferior, que mostra o seu aspecto tremendamente criativo e positivo, mas também perigoso. A intuição tem a característica de transmitir simultaneamente uma tremenda quantidade de conteúdos cheios de significação. Num segundo ele viu tudo, a intuição exteriorizou-se num instante e foi-se embora de novo. Lá estava ele mastigando cerejas, de volta ao seu calmo e corriqueiro mundo de sensação extrovertida. Esse caso é um exemplo da primeira aparição genuína da intuição inferior no tipo sensitivo extrovertido.

Um grande perigo vem do domínio que a função inferior pode exercer sobre toda a personalidade. Certa vez conheci um tipo perceptivo extrovertido, um construtor muito eficiente e bom negociante que ficou muito rico. Ele era bastante prático, mas construía casas horríveis; contudo, as suas estruturas eram muito sólidas, de modo que os moradores gostavam de viver nelas, embora, do ponto de vista artístico, elas deixassem muito a desejar. Ele era um bom esquiador, vestia-se muito bem, admirava as mulheres e tinha aquela espécie de sensualidade refinada que o tipo perceptivo extrovertido costuma demonstrar. Esse homem caiu nas mãos de uma mulher intuitiva, vinte anos mais velha que ele. Ela simbolizava a mãe primitiva e fantástica, e era imensamente gorda. No caso dela, isso representava falta de disciplina; tipos intuitivos introvertidos são frequentemente descomedidos e ultrapassam os limites psíquicos e físicos por causa da sua sensação inferior. Essa mulher vivia apenas em função das suas fantasias e era absolutamente incapaz de manter-se financeiramente. Era aquela união típica em que o homem provê a parte econômica e cuida do lado prático da vida e a mulher contribui para o aspecto fantasioso. Certa vez fui esquiar com ele e me entediei até as lágrimas. O único assunto sobre o qual ele conseguia conversar de forma interessante era a respeito dos seus negócios, mas não falava disso com mulheres. Afora esse assunto, ele não encontrava mais nada para falar, exceto que o sol estava lindo e que a comida não era ruim. Para minha grande surpresa, esse homem convidou-me a visitar os Antroposofistas de Dornach para assistirmos a uma peça. O "Goetheanum" era a sua "mãe espiritual" e o atraía muito. Ele estava totalmente empolgado pela peça, que o comoveu de tal maneira que o deixou inteiramente arrebatado. No entanto, eu fui muito sem tato ao afirmar que a peça era muito elevada para mim e que o que eu estava realmente almejando era um bom "bife". Ele ficou extremamente chocado com o meu materialismo. Na época, eu tinha apenas 18 anos e hoje eu teria sido mais sutil. Mas aquela era a maneira pela qual a intuição dele funcionava. De um lado, era projetada na mulher e, do outro, havia Dornach. Tendo percebido a relação mãe-filho, ele tentou romper com a mulher e, em seu lugar, esperava colocar a sua intuição inferior em Dornach. Esse foi certamente um passo à frente, pois, em vez de apenas projetar a sua intuição numa figura de mãe, ele ao menos tentava assimilá-la num nível interior. Por isso é que a minha observação foi tão inoportuna. Não tenho ideia sobre a maneira como a tentativa funcionou, porque perdi contato com ele. Mas não se deve fazer observações depreciativas ou duras quando as pessoas trazem para fora a sua função inferior. É um fato terrivelmente sensibilizante.

Outro exemplo de intuição introvertida inferior, neste caso realmente inferior, ilustra a forma terrível e o abismo desesperado aos quais a função inferior pode conduzir. Recentemente, num jornal americano de ficção científica, a história de um homem que inventou um aparelho, através do qual as pessoas poderiam ser desmaterializadas e rematerializadas. Ele poderia, por exemplo, estar aqui em Zurique e, de repente, se materializar em Nova York. Por meio de tal aparelho seria possível dispensar aviões e navios. Primeiramente, ele experimentou com cinzeiros e, mais tarde, com uma mosca. Alguns poucos erros ocorreram no começo, mas, depois do ajuste de vários fios, a coisa pareceu funcionar com a mosca. No caso de algo sair errado, ele preferiu ser a primeira vítima e, assim, se colocou no aparelho. Infelizmente, o aparelho emperrou no caminho e ele saiu do outro lado com a cabeça de uma enorme mosca. Ele tentou entrar em contato com a sua esposa e, cobrindo a cabeça com um pano, para que ela não pudesse vê-lo, lhe pediu que ela tentasse livrá-lo e deu-lhe várias instruções. Mas nada funcionou e, por fim, totalmente desesperado, ele pediu à sua mulher que o matasse; esta, por amor a ele, matou-o. Depois disso a história se transforma numa história de crime comum. Depois que ele está morto e enterrado a mulher enlouquece e é posta num hospício. Mas então a primeira mosca é encontrada, aquela que agora tem a cabeça do homem. A família, por piedade, põe a mosca numa caixa de fósforo, a qual é sentimentalmente colocada no túmulo com uma inscrição que declara que o finado foi "um herói e uma vítima da ciência". Eu os poupei da maioria dos detalhes desagradáveis e perversos desta história, que foram expostos com grande satisfação.

Aqui foi possível mostrar como a intuição inferior toma forma na produção de uma sensação. Como a história foi escrita por um tipo sensação, ele se mascarou como uma sensação completamente prática. A mosca representa a intuição inferior que se mistura com a personalidade consciente. Uma mosca é um inseto endiabrado. Em geral, as moscas representam fantasia e pensamentos involuntários que aborrecem uma pessoa e que zunem em torno de sua cabeça sem que se possa espantá-los. Nessa história, o cientista foi atraído e vitimado por uma ideia que envolve assassinato e loucura. A fim de salvar a vida da mulher, ela é colocada num hospício, onde passa o tempo tentando pegar moscas, esperando achar aquela que possa ser uma parte do seu marido. No final, o Comissário de Polícia conversa com o autor e fala que a mulher era, afinal, uma louca. Vê-se que ele representa o senso comum coletivo – o veredicto finalmente adotado pelo escritor que admite que tudo isso foi apenas loucura. Se o escritor tivesse estabelecido a continuidade da sua função inferior e a tivesse libertado da sua sensação extrovertida, uma história realmente pura e clara teria brotado. Em fantasias genuínas como as de Edgar Allan Poe e o poeta Gustav Meyrick, a intuição é estabelecida dentro do seu próprio campo. Essas fantasias são altamente simbólicas e podem ser interpretadas de forma simbólica. Mas um tipo perceptivo sempre quer concretizar as suas intuições de alguma maneira.

B – O tipo perceptivo introvertido: intuição extrovertida inferior

Há muitos anos, no *Psychological Club*, tivemos uma reunião na qual os membros, em lugar de apenas citarem o livro de Jung sobre os tipos, foram instados a descrever os seus tipos com as suas próprias palavras. Eles deviam descrever a sua experiência da própria função superior. Nunca esquecerei o depoimento dado pela Sra. Jung. Somente após tê-la ouvido é que senti haver entendido o tipo perceptivo introvertido. Fazendo a descrição de si mesma, ela disse que o tipo perceptivo introvertido era como uma chapa fotográfica, altamente sensível. Esse tipo, quando alguém entra numa sala, percebe o modo como a pessoa entra, o cabelo, a expressão do rosto, as roupas e a maneira de caminhar. Tudo isso dá uma impressão muito precisa do tipo perceptivo introvertido; cada detalhe é absorvido. A impressão vem do objeto para o sujeito; é como se uma pedra caísse em águas profundas – a impressão cai mais fundo, mais fundo, e afunda. Por fora, esse tipo mostra-se totalmente estúpido. Ele apenas se senta e olha, e não se sabe o que está acontecendo dentro dele. Fica parecido com um pedaço de madeira, sem nenhuma reação – a não ser que reaja através de uma das funções auxiliares: pensamento ou sentimento. Porém, interiormente, a impressão está sendo absorvida.

O tipo perceptivo introvertido, portanto, dá a impressão de ser muito lento, o que não é verdade. O que acontece é que a reação interna, que é rápida, caminha por baixo, e a reação externa se exterioriza de maneira atrasada. Assim é o jeito dessas pessoas; se lhes contamos uma piada pela manhã, provavelmente só irão rir à meia-noite. Esse tipo muitas vezes é mal interpretado e mal entendido pelos outros, porque não se compreende o que acontece com ele. Se conseguir expressar as suas impressões fotográficas artisticamente, eles poderão reproduzi-las através de pinturas ou por escrito. Tenho uma forte suspeita de que Thomas Mann era um tipo perceptivo introvertido. Ele descreve todos os detalhes de uma cena e nas suas descrições expressa plenamente a atmosfera de um ambiente ou de uma personalidade. Essa é uma espécie de sensibilidade que absorve os menores matizes e os mais íntimos detalhes.

A intuição inferior desse tipo é semelhante à do tipo perceptivo extrovertido, pois também apresenta características muito misteriosas, assustadoras e fantásticas. Contudo, ela é mais preocupada com o mundo exterior coletivo e impessoal. Pode-se verificar assim que o construtor que mencionei é um tipo perceptivo extrovertido. Ele capta as intuições que dizem respeito a si próprio. Na sua sensação extrovertida, ele está voltado para o mundo externo coletivo – construção de estradas ou de grandes casas. Mas a sua intuição se volta para ele mesmo; é altamente pessoal e misturada com os seus problemas individuais. Com o tipo sensação introvertido, o movimento parte do objeto em direção a ele. Os romances de Thomas Mann têm um caráter muito subjetivo. Contudo, a intuição desse tipo diz respeito a acontecimentos mais coletivos. Ele capta as possibilidades e o futuro do ambiente externo.

Vi num tipo perceptivo introvertido um material que eu consideraria muito profético – fantasias arquetípicas que não representam essencialmente o problema do sonhador, mas o do seu tempo. A assimilação dessas fantasias é muito difícil, porque a sensação, função dominante, é uma função através da qual compreendemos o aqui e o agora. O aspecto negativo da sensação é que o tipo emperra na realidade concreta. Como Jung certa vez observou: para eles o futuro não existe, as possibilidades futuras não contam, eles estão no aqui e agora e há uma cortina de ferro na sua frente. Eles acreditam no curso da vida como se ele se mantivesse sempre o mesmo, sendo incapazes de perceber que as coisas podem mudar. A desvantagem desse tipo é que, quando as suas enormes fantasias internas brotam, ele tem uma grande dificuldade em assimilá-las por causa da precisão e da lentidão da sua função consciente. Se desejar seriamente lidar com a sua intuição, esse tipo se inclinará a tentar exprimi-la com muita precisão. Mas como fazer isso? A intuição vem como um raio e, se se tentar exprimi-la, ela irá embora! Assim, ele não sabe como lidar com o problema e entra em agonia, porque o único caminho pelo qual a função inferior pode ser assimilada é tirar o controle da função superior.

Conheci uma mulher, um tipo perceptivo introvertido, que por muitos anos pintara cuidadosamente os conteúdos do seu inconsciente. Para acabar uma pintura, ela levava umas três semanas. As pinturas eram bonitas e trabalhadas em todos os detalhes, mas eu soube mais tarde que ela não pintava os conteúdos do seu inconsciente como eles vinham, mas corrigia e aperfeiçoava as cores e refinava os detalhes. Ela disse: "Efetivamente eu os aperfeiçoei do ponto de vista estético". Lentamente, a necessidade de assimilar a função inferior tornou-se imperativa e eu lhe disse que pintasse mais rápido, usasse as cores tais como elas vinham, ainda que imperfeitas, e as colocasse logo no papel.

Quando traduzi os conteúdos dos seus sonhos dessa maneira, ela entrou em pânico e disse que não conseguiria, que era impossível. Mostrar-lhe isso foi como tê-la espancado, ela não suportaria fazê-lo e continuou a pintar do seu modo usual. Repetidamente ela perdeu a vinda da intuição inconsciente, pois não sabia registrá-la tal como vinha. É dessa forma que se processa a luta entre as funções superior e inferior no tipo perceptivo introvertido. Se se tentar forçá-lo a assimilar a intuição de forma muito rápida, ele terá sintomas de vertigens ou enjoos. Ele se sente tirado do sólido terreno da realidade e, por estar tão apegado a este, apresenta sintomas reais de enjoo. Conheci uma mulher do tipo perceptivo introvertido que precisava deitar-se para fazer imaginação ativa, para não se sentir como se estivesse num barco.

Como a função superior do tipo perceptivo introvertido é introvertida, a sua intuição é extrovertida e, por isso, geralmente se exterioriza graças a acontecimentos externos. Caminhando por uma rua, esse tipo, ao ver um cristal na vitrine de uma loja, perceberia de repente, graças à sua intuição, o seu significado simbólico. Todo o sentido simbólico do cristal irromperia em sua alma. Contudo, esse acontecimento foi provocado por um acontecimento externo, uma vez que a sua intuição inferior é essencialmente extrovertida. Naturalmente, ele tem as mesmas características ruins do tipo perceptivo extrovertido: em ambos, as intuições são muitas vezes de caráter sinistro e, se não trabalhadas, levarão os conteúdos proféticos que irromperem a serem pessimistas e negativos.

A intuição negativa às vezes atinge o alvo. Ou acerta na mosca ou é totalmente desviada. Em geral, quando a intuição é a função principal e uma das outras funções – o pensamento ou o sentimento – foi desenvolvida, a pessoa pode julgar se atingiu o alvo ou se o tiro se perdeu, e por isso se controla. Mas a intuição inferior é primitiva e o tipo perceptivo ou nos surpreende atingindo o alvo, o que é de se admirar, ou então irrompe com pressentimentos nos quais não há nenhuma verdade – apenas a mais pura invenção.

C – O tipo intuitivo extrovertido: sensação introvertida inferior

A intuição é uma função através da qual nós imaginamos possibilidades. Assim, um tipo perceptivo consideraria um sino aquilo que é, mas uma criança imaginaria todas as espécies de coisas que se poderiam fazer com ele. Ele poderia ser a torre de uma igreja, um livro poderia ser uma cidade etc. Em todas as coisas há a possibilidade de um desdobramento. Na mitologia, a intuição é muito frequentemente representada pelo nariz. Quando alguém diz: "Farejo um um rato" é porque a sua intuição lhe diz que há alguma coisa errada. "Eu não sei bem o que é, mas posso senti-lo!" Então, três semanas mais tarde, o rato sai do seu buraco e a pessoa fala: "Oh, eu o farejei, eu tive um pressentimento de que havia alguma coisa no ar". Essas são as possibilidades futuras, os germes do que pode vir a acontecer. A intuição é, portanto, a capacidade de intuir o que ainda não é visível, possibilidades futuras ou potencialidades ainda não realizadas.

O tipo intuitivo extrovertido aplica essa capacidade ao mundo exterior e, consequentemente, alcançará um nível muito alto em perceber futuros desenvolvimentos exteriores ao seu redor. Tais tipos são com muita frequência encontrados entre homens de negócios. São empresários que têm a audácia de produzir e comercializar novas invenções. Encontramo-los entre jornalistas e, muitas vezes, entre editores: eles sabem o que será popular no ano que vem. Apresentarão algo que ainda não está na moda, mas que em breve estará: eles serão os primeiros a pô-lo no mercado. Os corretores de valores também têm uma certa habilidade em prever a alta de determinada ação, se o mercado estará em alta ou em baixa, e ganham dinheiro a partir disso. Esse tipo pode ser encontrado onde quer que haja algo novo fermentando, até mesmo nos ambientes mais espirituais. Eles estarão sempre na frente.

É geralmente o artista criativo que gera o futuro. Uma civilização que não tem pessoas criativas está destinada à ruína. Assim, a pessoa que está realmente em contato com o futuro, com os germes do futuro, é a personalidade criativa. O intuitivo extrovertido, que tem a capacidade de sentir o vento e saber como estará o tempo no dia seguinte, poderá também prever que determinado pintor ou escritor completamente desconhecido é o homem do amanhã, fenômeno que o deixará fascinado. A sua intuição consegue reconhecer o valor de tal pessoa criativa. Os indivíduos criativos são introvertidos e permanecem tão ocupados com as suas criações que não podem cuidar da promoção de suas obras. O trabalho toma tanto da sua energia que eles não podem se incomodar com a maneira como ele deve ser apresentado ao mundo, com a publicidade ou com qualquer coisa do gênero. Além disso, qualquer tipo de objetivo envenena os processos criativos. Muito frequentemente, então, o intuitivo extrovertido chega e ajuda. Mas como é natural, se fizer isso por toda a vida, este começará a projetar no artista uma capacidade criativa menor de si mesmo e se perderá. Cedo ou tarde essas pessoas terão de sair da sua extroversão e dizer: "Ora, mesmo que seja numa escala menor, qual é a *minha* criatividade?" Aí então eles voltarão à sua sensação inferior e, em lugar de auxiliar a criatividade das outras pessoas, terão de cuidar da sua própria sensação inferior e do que resultar dessa busca.

Para funcionar, a intuição precisa olhar as coisas de longe ou de modo vago, a fim de captar um certo pressentimento vindo do inconsciente, semicerrar os olhos e não olhar os fatos muito de perto. Se se olhar com muita precisão para as coisas, o foco serão os fatos e o pressentimento não surgirá. É por isso que os intuitivos tendem a ser imprecisos e vagos. A desvantagem de ter a intuição como função principal é que o tipo intuitivo semeia, mas raramente colhe. Assim, por exemplo, se alguém inicia um negócio, surgem geralmente dificuldades iniciais, as coisas não funcionam bem imediatamente, é preciso esperar um certo tempo para que se torne lucrativo. Com muita frequência, o intuitivo não espera o bastante. Começa o negócio e é só; ele o vende e perde com isso, mas o novo proprietário ganha muito dinheiro com o mesmo empreendimento. O intuitivo é sempre aquele que inventa, mas não tira proveito da sua invenção. Contudo, se for mais equilibrado e conseguir esperar mais um pouco, não se dissociando completamente pela identificação com a sua função principal, ele se tornará uma pessoa capaz de armazenar novas coisas em todos os cantos do mundo.

O intuitivo extrovertido tende a não cuidar do seu corpo e das suas necessidades físicas: ele simplesmente não sabe ou não percebe quando está cansado. É preciso um esgotamento para mostrar-lhe o seu estado. Ele também não percebe quando está com fome. Se for um tipo unilateral exagerado, não saberá que tem sentimentos endossomáticos.

A sensação inferior, como todas as funções inferiores, é em tais pessoas lenta, pesada e carregada de emoção. Por ser introvertida, é afastada do mundo exterior e dos seus diferentes aspectos. Ela tem, como todas as funções inferiores, uma conotação mística.

Certa vez analisei um tipo intuitivo extrovertido, um homem de negócios que tinha começado muitos empreendimentos num país estrangeiro e que, além disso, havia especulado com minas de ouro etc. Ele sabia sempre onde as possibilidades estavam e, de maneira inteiramente honesta e decente, fez uma grande fortuna num curto espaço de tempo simplesmente porque sabia onde investir. Tinha sensibilidade para reconhecer o que estava para vir, o que aconteceria nos anos seguintes e sempre chegava antes e conseguia as coisas. A sua sensação introvertida – ele era quase uma personalidade dividida – veio à tona pela primeira vez sob a aparência de um vagabundo muito sujo e mal-humorado que aparecia em seus sonhos. Esse vagabundo ficava na porta das hospedarias, usava roupas sujas e não sabíamos o que queria do sonhador. Eu o induzi a conversar com o vagabundo, através da imaginação ativa. Este contou que fora o responsável pelos sintomas físicos que levaram o homem à análise e que os enviara porque não tinha conseguido atenção suficiente. Assim, na imaginação ativa, o homem perguntou o que deveria fazer. O vagabundo respondeu que uma vez por semana, depois de vestir-se com roupas iguais às suas, o homem deveria ir em sua companhia passear no campo e prestar atenção no que ele tinha para lhe dizer.

Aconselhei o sonhador a seguir o aviso com precisão. O resultado foi que ele fez grandes passeios por muitas partes da Suíça, hospedando-se nas mais simples hospedarias sem ser reconhecido por ninguém. Durante esse tempo ele teve inúmeras experiências interiores extraordinárias que surgiram do seu contato com a natureza: o nascer do sol, pequenas coisas como observar uma flor num canto de rocha etc. Esses fatos atingiram diretamente o âmago da sua personalidade e lhe revelaram um tremendo número de coisas. Eu definiria tudo isso como um experimentar a divindade através da natureza, de maneira muito primitiva. Ele voltava muito silencioso e calmo e tinha-se a impressão de que algo o atingira, alguma coisa que anteriormente nunca o havia tocado. Seus sintomas compulsórios desapareceram por completo durante aqueles passeios semanais. O problema então era como ele poderia manter essa experiência e evitar recaída quando voltasse para o seu país. Consultamos novamente o vagabundo, que lhe disse que o libertaria dos sintomas se ele tirasse uma tarde por semana para ficar em contato com a natureza e continuar as suas conversas com ele. O homem então partiu. Através de suas cartas, eu soube que por uns tempos ele seguiu os conselhos, mas então voltou aos seus antigos hábitos – havia muito trabalho, ele estava começando três novos negócios e tinha muitas reuniões. Assim, ele adiou o compromisso com o vagabundo, repetindo sempre "na próxima semana; com certeza eu irei na próxima semana". E os seus sintomas logo voltaram. Isso funcionou: ele voltou atrás, passou a caminhar regularmente e tudo ficou bem. Ele concretizou a nova atitude comprando uma fazenda e adquirindo um cavalo. Uma tarde por semana cuidava do seu cavalo numa atitude que só se poderia considerar devoção religiosa. O cavalo era, por assim dizer, seu amigo e, como num ritual, ele ia visitá-lo, montá-lo e cuidar dele todas as semanas. Daí em diante ele teve paz. Estou certa de que muita coisa está acontecendo em seu interior, mas eu não soube muito a respeito dele, exceto por seus cartões de Natal, onde dizia estar muito bem. E naturalmente fotografias do cavalo!

Assim, pode-se ver como a função inferior é a porta para se experimentar as camadas mais profundas do inconsciente. Esse tipo intuitivo afastou-se do ego e dos objetivos deste através desse contato com a natureza e com o cavalo. Pode-se observar muito claramente que, mesmo que a função inferior apareça externamente, num cavalo, por exemplo, há nela, é claro, um significado simbólico. Cuidar do cavalo era, para ele, cuidar do seu próprio lado físico e instintivo: o cavalo foi para esse indivíduo a primeira personificação do inconsciente coletivo impessoal. É importante para um tipo intuitivo fazer isso concreta e muito lentamente, não exclamando de pronto: "Oh, o cavalo é um símbolo do inconsciente" etc. Ele deve ater-se ao cavalo real e cuidar dele apesar de saber que é um símbolo.

D – O tipo intuitivo introvertido: sensação extrovertida inferior

O tipo intuitivo introvertido tem a mesma capacidade do intuitivo extrovertido no sentido de pressentir o futuro, fazendo as conjeturas ou as premonições certas sobre as possibilidades futuras, ainda não vistas, de uma situação. Contudo, a sua intuição é voltada para dentro e ele é primariamente o tipo do profeta religioso, o tipo do vidente. Num nível primitivo, ele é o xamã que sabe o que os deuses, os espectros e os espíritos ancestrais estão planejando e que transmite as suas mensagens à tribo. Na linguagem psicológica, poderíamos dizer que ele conhece os lentos processos que ocorrem no inconsciente coletivo, as mudanças arquetipícas, e que os comunica à sociedade. Os profetas do Antigo Testamento, por exemplo, eram pessoas que, enquanto os filhos de Israel dormiam alegremente – como as massas sempre o fazem –, de vez em quando lhes diziam quais as reais intenções de Yahweh, o que ele estava fazendo naquele momento e o que ele queria que o seu povo fizesse. O povo em geral não gostava de ouvir essas mensagens. Há muitos intuitivos introvertidos entre os artistas e poetas. Geralmente são artistas que produzem um material bem arquetípico e fantástico tais como os de *Thus Spake Zarathustra*, de Nietzsche, de *The Golen*, de Gustav Meyrick, e de *The Other Side*, de Kubin. Essa espécie de arte visionária geralmente só é entendida pelas gerações posteriores como representação do que ocorria no inconsciente coletivo da época.

A sensação inferior desse tipo tem também dificuldades em perceber as necessidades do corpo e em controlar os seus apetites. Swedenborg teve uma visão na qual o próximo Deus lhe disse que ele não deveria comer tanto! Naturalmente ele comia sem a mais leve autodisciplina e com uma completa inconsciência. Swedenborg era um típico intuitivo introvertido, o tipo profeta ou vidente, simplesmente rude e desinibido no sentido de comer demais. O intuitivo introvertido, da mesma forma que o intuitivo extrovertido, sofre de tremenda imprecisão no tocante a fatos.

Como ilustração do aspecto mais ridículo da sensação inferior de um intuitivo introvertido, apresento a seguinte história. Uma mulher intuitiva introvertida estava presente em uma conferência que fiz sobre a filosofia da Grécia Antiga e ficou tremendamente comovida e impressionada com o assunto. Mais tarde ela me pediu que lhe desse aulas particulares sobre a filosofia pré-socrática, pois queria se aprofundar nesse campo. Ela me convidou para um chá e, como acontece muito frequentemente quando se tem de dar aulas a intuitivos introvertidos, ela usou a primeira hora para me dizer quanto estava comovida, o que achava estar no fundo da minha mente, o que acreditava que poderíamos fazer juntas etc. A segunda hora foi idêntica e, como eu senti que deveria ganhar o meu dinheiro fazendo-a progredir de alguma forma, insisti para que déssemos uma olhada no livro que eu levara e estabelecêssemos uma sistemática. Ela concordou, mas acrescentou que, naquele momento, eu deveria deixá-la sozinha, pois ela tinha de fazê-lo à sua própria maneira. Percebi que ela estava ficando nervosa. Quando voltei para a aula seguinte, ela disse que tinha achado a melhor maneira de resolver o problema; isto é, que ela naturalmente não poderia estudar a filosofia grega sem conhecer nada sobre os gregos e que não poderia conhecê-los sem saber de forma correta como era o seu país. Assim, ela havia começado a desenhar o mapa da Grécia e mostrou-me o seu trabalho. Tinha levado muito tempo. Com a sua sensação inferior, em primeiro lugar ela precisara comprar papel, lápis e tinta – isso a empolgara enormemente, ela estava inteiramente no céu com a sua façanha! Disse que não poderia prosseguir com a filosofia antes de terminar o mapa. Assim, na vez seguinte ela o havia colorido! A coisa caminhou assim por alguns meses e então a sua intuição escolheu outro tema e nós nunca chegamos à filosofia grega! Ela deixou Zurique e eu não a vi de novo senão depois de quinze anos; nessa ocasião, numa longa história, ela falou do quanto ainda estava impressionada e comovida com as aulas de filosofia grega que eu lhe dera e do quanto aprendera com elas! Ela havia apenas desenhado um mapa! Essa mulher era um caso realmente extremo de intuição introvertida. Mas devo admitir, em retrospecto, que para ela foi realmente uma coisa bem numinosa desenhar aquele mapa da Grécia; pela primeira vez ela tivera contato com a sua sensação inferior.

O intuitivo introvertido frequentemente é tão inconsciente no que diz respeito a fatos externos que os seus relatos têm de ser tratados com o maior cuidado. Assim, embora não minta conscientemente, ele pode contar as mais espantosas mentiras simplesmente porque não percebe o que está bem à sua frente. Muitas vezes desconfio dos relatos sobre fantasmas, por exemplo, ou parapsicológicos, por essa razão. Os intuitivos introvertidos se interessam muito por esses campos, mas por causa da sua fraqueza em observar os fatos e da sua falta de concentração nas situações externas podem contar os maiores disparates e jurar que são verdadeiros. Eles passam por um número absolutamente espantoso de fatos externos e não os assimilam. Lembro-me, por exemplo, de um certo outono em que eu ia de carro na companhia de um tipo intuitivo introvertido. Nos campos, as batatas estavam sendo colhidas e havia fogueira. Eu vinha observando isso havia algum tempo e estava gostando. De repente, o motorista parou o carro horrorizado, respirou fundo e disse: "Alguma coisa está queimando! Está vindo de fora?" Olhamos os freios, mas tudo estava em ordem, então concluímos que o cheiro vinha de fora, proveniente das fogueiras. Estas estavam espalhadas por todos os lugares e para mim era óbvio que o cheiro de queimado vinha delas. Mas, um intuitivo introvertido pode dirigir por uma hora no campo com tal fenômeno ocorrendo à sua volta e não perceber nada. Então, de repente será atingido pelo fato e fará deduções totalmente incorretas. A sua sensação inferior tem a qualidade de todas as funções inferiores, isto é, chegam à consciência de forma isolada: algumas vezes funciona e então desaparece. De súbito, um cheiro que três quartos de hora antes não era percebido de maneira alguma é intensamente percebido, assumindo grande importância. A sensação inferior de um intuitivo introvertido é muito intensa, mas só aparece aqui e ali, desaparecendo logo do campo da consciência. O intuitivo introvertido tem um sério problema na abordagem do sexo, porque este envolve a sua sensação extrovertida inferior. Esse fenômeno é tragicamente retratado nas obras de Nietzsche, onde, no fim da sua carreira, pouco antes de ele ficar louco, aparecem alusões sexuais bem grosseiras em seus poemas, bem como em *Assim falou Zaratustra*. Ao que parece, quanto ficou insano, ele produziu material dessa espécie, que foi destruído após a sua morte por causa do seu caráter absolutamente desagradável. No seu caso, a sensação extrovertida inferior era muito ligada a mulheres e a sexo, de maneira bem concreta, e ele não sabia como lidar com o problema.

O aspecto positivo da sensação extrovertida inferior, no caso de um intuitivo introvertido, manifesta-se de forma interessante na experiência de iluminação de Jakob Boehme, um místico alemão. Ele teve esposa e seis filhos, para os quais nunca conseguiu ganhar dinheiro algum. Vivia em constantes problemas com a família, porque a sua mulher sempre dizia que, em lugar de escrever livros sobre Deus e viver imaginando o desenvolvimento interior da divindade, ele faria melhor se providenciasse alimento para a sua família. Ele vivia totalmente atormentado entre esses dois polos da vida. Ora, a sua maior experiência interior, uma revelação da divindade que seria a base de todo o seu trabalho futuro, veio da visão de um raio de luz refletido num prato de latão. Essa experiência de sensação levou-o a um êxtase interior e, durante um minuto, ele percebeu, por assim dizer, todo o mistério da divindade. Por anos ele não fez nada além de traduzir lentamente, em linguagem discursiva, o que tinha visto interiormente num minuto, num segundo! O seu relato é tão emocional e caótico porque ele tentou descrever essa única experiência com muitas amplificações. Mas a visão real foi motivada pela visão de um raio de luz batendo num prato de latão em sua mesa. Esse fenômeno implica sensação extrovertida – a sensação de um fato exterior deu início ao seu processo de individuação. Aqui podemos ver além do aspecto inferior da sensação extrovertida, esse estranho caráter de totalidade, o aspecto místico, que a função inferior frequentemente tem. É interessante que mesmo o comer demais de Swedenborg ligava-o com a divindade. A sua sensação inferior estava ligada à sua maior e mais profunda preocupação.

(Segue-se um período de perguntas e respostas)

Pergunta: Gostaria de saber se o estado de êxtase é usualmente ligado com a função inferior.

Dra.Von Franz. Sim, está ligado com ela, considerando-se que é normalmente iniciado por uma experiência da função inferior.

Pergunta: Poder-se-ia dizer que os tipos intuitivos tendem a ser mais sensíveis ao que chamamos de estímulos subliminares?

Dra.Von Franz. Sim, eu diria que em geral os dois tipos intuitivos o são. Eles têm de ser, pois precisam manter a sua consciência constantemente desfocalizada e sombria a fim de terem pressentimentos. Eles são sensíveis à atmosfera de um lugar. Provavelmente a intuição é uma espécie de percepção sensível através do inconsciente, um tipo de percepção sensível subliminar. É um meio de operar através da percepção sensível subliminar em vez da percepção consciente.

Pergunta: Tanto os intuitivos extrovertidos como Jakob Boehme parecem ter uma sensação claramente introvertida. O intuitivo introvertido não deveria ter uma sensação mais extrovertida?

Dra. Von Franz. Sim, mas Boehme a tinha! O homem do cavalo (para descrevê-lo brevemente) percebeu profundidades interiores e manteve-se em silêncio por toda a experiência: ele sequer me falou muito sobre isso – fez apenas algumas alusões a respeito de alguma coisa profunda que estava acontecendo. Boehme, por sua vez, exteriorizou a sua visão – construiu um sistema de realidade exterior, de Deus e do mal no mundo. Construiu toda uma filosofia baseada nesses fatos, mas voltada para o exterior, enquanto pessoalmente era muito introvertido. Era um tímido sapateiro.

Algo muito mais interessante sobre Boehme é que, enquanto se sentia dividido entre a sua mulher implicante, que dizia que ele faria melhor se fizesse bons sapatos e alimentasse os seus filhos, e a especulação sobre a divindade, ele foi muito produtivo. Porém, depois que o seu primeiro livro foi publicado, um barão alemão sentiu-se muito penalizado dele e percebeu com tal força que ele era um grande vidente que assumiu os seus problemas externos, pagando o sustento de sua família. Daí em diante, os escritos de Boehme tornaram-se cheios de ressentimentos e repetições. A ajuda do Barão esterilizou a sua criatividade. Como é sabido, no seu túmulo há uma imagem da divindade igual a esta: Isso é realmente trágico, pois mostra que ele não conseguiu unir o lado da luz e o da treva; isso permaneceu um problema insolúvel para ele. Na minha experiência, isso está ligado ao simples fato de ele ter aceito o dinheiro do Barão, e escapando assim da tortura da sua função inferior.

Estar dividido entre a função inferior e a superior é vitalmente importante. Posso apenas avisá-lo de que, se você sentir vontade de ajudar tais artistas e profetas, pelo amor de Deus, observe primeiro o caso bem seriamente e veja o ponto até o qual pode ajudá-los. Se você os retira da realidade, eles perdem todo o sentido dela. No mínimo você não os terá ajudado. Esses tipos *pedirão* de joelhos que os tirem de seus problemas, que os salvem da tortura, da realidade exterior com a qual eles não sabem lidar. Mas, se "salvá-los", você estará destruindo o núcleo criativo das suas personalidades. Isso não significa que, se eles estiverem morrendo de fome, você não possa dar-lhes algo para sobreviver, ou dar-lhes ajuda de vez em quando, se a situação estiver ruim; mas não os afaste dos problemas reais porque, o que é muito estranho, isso também esteriliza o processo interior. Esse fato aconteceu a Boehme e, por causa disso, ele não foi capaz de unir os opostos, nem no seu sistema nem na sua vida. O que o Barão von Merz fez foi realmente destruí-lo por caridade insensata.

Capítulo III

OS QUATRO TIPOS RACIONAIS

A – O tipo pensativo extrovertido: sentimento introvertido inferior

Encontramos esse tipo entre organizadores, pessoas de altas funções e cargos governamentais, de importância nos negócios, nas leis, e entre cientistas. Eles podem organizar enciclopédias úteis. Limpam toda a poeira das velhas bibliotecas e acabam com os fatores que inibem a ciência e que são causados pela desordem, pela preguiça ou pela falta de clareza na linguagem. O tipo pensativo extrovertido estabelece a ordem tomando uma posição definida e dizendo: "Quando digo isto quero dizer isto". Eles põem ordem clara nas situações exteriores. Num encontro de negócios, o indivíduo dirá que o certo é ater-se aos fatos básicos e depois decidir como proceder. Um advogado que precisa ouvir todos os relatórios caóticos das partes é capaz de ver, com sua função superior pensamento, quais são os conflitos reais e quais as falsas alegações, conseguindo então uma solução satisfatória para todos. A ênfase será sempre colocada no objeto e não na ideia. Tal advogado não lutará pela *ideia* da democracia ou da paz doméstica; toda a sua mente será absorvida e tragada pela situação objetiva extensa. Se se perguntar a ele sobre a sua atitude subjetiva ou sobre as suas ideias a respeito de determinado assunto, ele vai se perder, porque não está voltado para essa área da vida e desconhece por completo qualquer motivo pessoal. Se buscarmos as suas motivações inconscientes, veremos que consistem numa infantil crença ingênua na paz, na caridade e na justiça. Se pressionado a definir o que entende por "justiça", ficará muito confuso e provavelmente pedirá que a pessoa saia, alegando estar "muito ocupado". O elemento subjetivo permanece no segundo plano da sua personalidade. As premissas dos seus elevados ideais permanecem no domínio da sua função inferior sentimento. Ele terá uma ligação sentimental mística com os seus ideais, mas, para descobri-los, é preciso acuá-lo. Estão presentes ligações sentimentais com certos ideais ou pessoas, mas nunca aparecem nas atividades do dia a dia. Tal indivíduo poderá passar toda a sua vida resolvendo problemas, reorganizando firmas e expondo as coisas claramente; somente no final da vida ele começará a perguntar-se com tristeza o motivo pelo qual viveu. Nesse momento, ele cairá na sua função inferior.

Uma vez conversei com um homem desse tipo que estava terrivelmente sobrecarregado de trabalho e que precisava de longas férias. Avisou-me inúmeras vezes que eu deveria tirar férias e, quando lhe perguntei *por que ele* não o fazia, respondeu-me: "Meu Deus, eu ficaria muito tempo sozinho e me sentiria muito melancólico!" Isolada, tal pessoa perguntaria a si mesma se o seu trabalho é realmente importante. Ela se lembrará de como salvou alguém de ser roubado e de outros fatos semelhantes, mas indagará se melhorou o mundo. Esses sentimentos brotariam naquele homem e ele se sentiria como se estivesse caindo num abismo. Teria de conferir toda a sua avaliação das coisas. Como é natural, portanto, ele evitava tirar férias – até que caiu e quebrou a bacia, sendo obrigado a ficar de cama por seis meses. É assim que a natureza impõe a função inferior a tais pessoas.

O tipo pensativo extrovertido tem, como já afirmei, uma espécie de ligação sentimental mística com ideais e frequentemente também com pessoas. Mas esse sentimento profundo, forte e arrebatado quase nunca aflora. Eu me lembro de um tipo pensativo extrovertido que realmente me comoveu quando, em certa ocasião, exteriorizou o seu sentimento pela sua mulher. Porém, quando falei com ela, foi deplorável verificar quão pouco ela sabia sobre isso, porque, como um extrovertido extremo, ele passava o dia todo no seu emprego, movendo-se confusamente na vida, e aqueles sentimentos profundos nunca eram expressos. Se a sua mulher estivesse morrendo de tuberculose, ele não teria percebido até que estivesse no funeral. E *ela* não percebia a profundidade do sentimento do marido e, num sentido profundo, ele lhe era leal e fiel, mas esse aspecto estava escondido e não tinha expressão na sua vida. Ele permanecia introvertido e não se movia em direção ao objeto. Foram necessárias várias sessões para obter uma melhor compreensão no casamento e para fazer a esposa entender que o marido realmente a amava. Ele se mantinha tão ocupado com o mundo exterior e o seu sentimento permanecia tão escondido que a esposa não percebia que importante papel oculto esses sentimentos tinham para ele.

O sentimento introvertido, mesmo que seja a função principal, é muito difícil de entender. Um exemplo muito bom dessa afirmação é encontrado no poeta austríaco Rainer Maria Rilke. Certa vez ele escreveu "Ich liebe dich, was geht's dich an?" (Eu a amo, mas isso não é da sua conta). Isso é amor amar o amor! O sentimento é muito forte mas não flui na direção do objeto. É quase como estar apaixonado por si mesmo. Naturalmente, essa espécie de amor é muito mal entendida e tais pessoas são consideradas muito frias. Mas elas não o são; o sentimento está todo interiorizado. Por outro lado; elas exercem uma influência oculta muito forte sobre a sociedade que as rodeia, pois têm maneiras secretas de estabelecer valores. Assim, por exemplo, esse tipo pensamento pode esconder o seu sentimento mas comportar-se simplesmente como se pensasse que uma coisa é valiosa e outra não; isso provoca um certo impacto nas outras pessoas. Quando é inferior, o sentimento fica ainda mais escondido e mais absoluto. O advogado que citei tinha a sua ideia de justiça e esta tinha efeitos muito sugestivos sobre outras pessoas; isto é, o seu sentimento escondido de justiça influenciava inconscientemente outras pessoas na mesma direção sem que ele nunca tivesse tomado conhecimento disso. O seu sentimento comandava não apenas o seu próprio destino, como também o dos outros, embora imperceptivelmente.

O sentimento introvertido escondido do tipo pensamento extrovertido cria fortes lealdades imperceptíveis. Tais pessoas estão entre os amigos mais devotados, embora possam se comunicar apenas no Natal. São absolutamente fiéis ao seu sentimento, mas o outro tem de aproximar-se dele para conhecer a sua existência.

Exteriormente, o tipo pensamento extrovertido não dá a impressão de ter um sentimento forte. Num político, a função inferior sentimento poderia manifestar-se inconscientemente através de uma profunda e constante lealdade para com a sua pátria. Contudo, essa mesma função poderia também induzi-lo a jogar uma bomba atômica ou cometer algum outro ato destrutivo. O sentimento inconsciente e não desenvolvido é bárbaro e absoluto e, por isso, algumas vezes um fanatismo destrutivo escondido explode repentinamente no tipo pensamento extrovertido. Tais tipos são incapazes de ver que, a partir de um padrão de sentimento, outras pessoas podem ter valores diferentes, visto que eles não questionam o valor interior que defendem. Quando sentem decididamente que alguma coisa está certa, são incapazes de mostrar os pontos de vista do sentimento, mas jamais duvidam dos seus próprios valores interiores.

Esses sentimentos introvertidos ocultos do tipo pensamento extrovertido são algumas vezes muito infantis. Depois da morte de tais pessoas, algumas vezes são encontrados escritos com poemas infantis para uma mulher distante a quem eles jamais encontraram, nos quais é exteriorizado muito sentimento romântico e místico. Frequentemente elas pedem que esses poemas sejam destruídos após a sua morte. O sentimento é escondido; é, de alguma forma, a coisa mais valiosa que possuem, mas, mesmo assim, é por vezes surpreendentemente infantil. Algumas vezes o sentimento permanece inteiramente relacionado com a mãe e nunca sai do reino da infância; podem-se então achar patéticos registros do seu vínculo com ela.

Outra maneira pela qual sentimentos infantis podem se manifestar nos tipos pensativos extrovertidos é exemplificada pelo caso de Voltaire, o filósofo francês. Ele, como se sabe, combateu a Igreja Católica com toda a sua força. Foi o autor do famoso *slogan*: "Ecrasez l'infâme". Foi um intelectual e um representante típico do Iluminismo. Entretanto, no seu leito de morte, ele pediu desesperadamente a extrema-unção e a recebeu com grande demonstração de fervor pio. Assim, no fim da sua vida, ele mostrou que estava completamente dividido: a sua mente tinha abandonado uma experiência religiosa original, mas o seu sentimento tinha ficado lá. Quando chegou a morte – o que temos de enfrentar como uma pessoa inteira –, o seu sentimento veio à tona e o subjugou de uma maneira completamente disparatada. Todas as conversões repentinas têm essa qualidade: devem-se à súbita irrupção da função inferior.

B – O tipo pensativo introvertido: sentimento extrovertido inferior

A principal atividade desse tipo não é tanto estabelecer ordem nos objetos exteriores; está mais ligada com as ideias. Pertence ao tipo pensativo introvertido alguém que diria que não se parte dos fatos mas, primeiramente, se esclarecem as ideias. O seu desejo de ordenar a vida se exterioriza pela ideia de que, se alguém começar errado, jamais chegará a lugar algum. Primeiro é necessário conhecer as ideias a serem seguidas e de onde elas vêm; é preciso eliminar a estupidez, cavando nas profundidades do pensamento. Toda a filosofia está preocupada com os processos lógicos da mente humana, com a construção de ideias. Esse é o domínio em que o pensamento introvertido mais atua. Na ciência, são essas pessoas que permanentemente estão tentando evitar que os seus colegas se percam em experimentos e que, de vez em quando, tentam voltar aos conceitos básicos e perguntam o que de fato estamos fazendo mentalmente. Na física há geralmente um professor para a parte prática e outro para a teórica: um fala sobre a Wilson Chamber e sobre como fazer as experiências, o outro, sobre os princípios matemáticos e a teoria da ciência. Em todas as ciências há sempre aqueles que tentam esclarecer as teorias básicas do seu domínio científico. O historiador de arte extrovertido tentará descobrir os fatos e provar, por exemplo, que um certo tipo de Madonna foi pintado antes ou depois de outro tipo e tentará ligar isso com a história e o ambiente do artista. O introvertido poderá perguntar que direito alguém tem de julgar uma obra de arte. Ele diria que primeiramente deveríamos compreender o que entendemos por arte, do contrário nos perderemos na confusão. O tipo pensativo introvertido vai sempre atrás da ideia subjetiva, isto é, procura saber o papel do sujeito na coisa toda.

O sentimento do tipo pensativo introvertido é extrovertido. Ele tem a mesma espécie de sentimento forte, leal e caloroso descrito como típico do tipo pensativo extrovertido, com a diferença de que o sentimento do tipo pensativo introvertido flui na direção de objetos definidos. Enquanto o tipo pensativo extrovertido ama profundamente a sua mulher, mas diz como Rilke "Eu a amo, mas não é da sua conta", o sentimento do tipo pensativo introvertido se vincula com objetos externos. Ele dirá, portanto, no estilo de Rilke "Eu a amo e isso será da sua conta. Eu farei que seja". Fora isso o sentimento do tipo pensativo introvertido tem as mesmas características do sentimento inferior do tipo pensativo extrovertido: julgamentos muito definidos, sim ou não, amor ou ódio. Muito facilmente o seu sentimento pode ser envenenado por outras pessoas e pela atmosfera coletiva. O sentimento inferior de ambos os tipos pensativos é pegajoso e o tipo pensativo extrovertido tem uma espécie de lealdade imperceptível que pode durar eternamente. O mesmo se aplica ao sentimento extrovertido do tipo pensativo introvertido, mas de maneira perceptível. Se o avaliarmos positivamente, ele é fiel; mas, numa avaliação negativa é pegajoso. Ele se assemelha à vazão pegajosa do sentimento de um epilético, tem aquele tipo de apego canino que, especialmente para o companheiro, nem sempre é agradável. Poder-se-ia comparar o sentimento inferior de um tipo pensativo introvertido com a torrente de lava de um vulcão; ela se move apenas uns cinco metros por hora, mas devasta todas as coisas no seu caminho. Contudo, tem todas as vantagens de uma função primitiva, pois é tremendamente verdadeiro e arrebatado. Quando um tipo pensativo introvertido ama, não há limite no seu amor. Ele se dedicará inteiramente ao outro, mas o seu amor será primitivo. É como se uma leoa gostasse de brincar com um bebê. Ela não tem outra intenção senão a de brincar, mas se esfrega nele, ronronando em sua perna, morde-o ou lhe dá uma patada tão forte que ele cai do outro lado, e então ela lambe o seu rosto. Nessa atitude da leoa não há nenhum controle, é apenas uma expressão do seu sentimento, assim como faz o cachorro ao abanar o rabo! O que toca as pessoas no sentimento dos animais domésticos é exatamente essa falta de controle.

Em ambos os tipos pensativos, o sentimento inferior é sem controle, ao passo que as pessoas que têm sentimento diferenciado estão, de uma maneira encoberta, controlando. Elas sempre põem um pedacinho do ego nisso. Certa vez conheci o chefe de uma datilógrafa e me perguntei como ela conseguia aguentar aquele horror por um único dia! Ela, porém, era um tipo sentimental. Apenas sorriu e respondeu-me que ele era o seu chefe e que, por isso, ela agia da melhor maneira possível; convivendo com ele, conseguiria descobrir que o chefe tinha tais e tais qualidades positivas. Poder-se-ia dizer que ver boas qualidades e reconhecê-las é admirável, mas, por outro lado, há um pouco de cálculo nisto; ela queria manter o seu lugar com o chefe e fez então esse esforço de sentimento positivo. Isso nunca aconteceria com o sentimento inferior de um tipo pensativo! Eu nunca poderia suportar aquilo; preferia passar fome. Essa é a grande diferença entre o sentimento inferior e o diferenciado. O tipo sentimental achou umas poucas qualidades positivas naquele homem horrível e o suportou. Ela não negou todas as coisas negativas que vi nele, mas disse que jamais fazia serão e que ele reconhecia o mérito de quem trabalhava para ele. Ela descobrira uns poucos fatores positivos nele e ficara no emprego.

Em *Psychological Types*, Jung explica alguns dos desencontros entre os tipos. Se dissesse que aquela secretária estava calculando e agindo por oportunismo, eu estaria completamente errada, pois, no caso dela, tratava-se apenas de um motivo secundário. Tal julgamento seria a projeção negativa do tipo oposto. Não é que ela fosse apenas uma oportunista ou agisse calculadamente ao ter tais sentimentos positivos; o que essa moça tem é um sentimento diferenciado. Por isso, ela nunca tem fortes reações de sentimento, ela sabe que, onde há valor, há sempre alguma coisa negativa. Nada é absolutamente branco ou absolutamente preto, mas na realidade todas as coisas são cinzentas. Ela tem uma espécie de atitude filosófica. Eu vejo o cálculo e o oportunismo porque geralmente o tipo pensativo introvertido vê o lado negativo e diz que o tipo sentimental sempre sabe o caminho certo a seguir. Por outro lado, pode-se dizer que o sentimento inferior tem a vantagem de não conter nenhum cálculo em si. O ego nada tem a ver com isso. Mas isso por certo pode criar situações embaraçosas. Pensem, por exemplo, em *O Anjo Azul*, em que um professor se apaixona por uma mulher fatal de cabaré e, leal e devotadamente, se arruina por causa dela. Esse comportamento representa a tragédia da função inferior sentimento. Poder-se-ia admirá-lo pela sua lealdade, mas seria também certo considerá-lo um tolo e dizer que o seu sentimento inferior tinha péssimo gosto. O sentimento inferior do tipo pensativo tem um gosto que varia entre o excelente e o péssimo. Um tipo pensativo pode escolher para amigos pessoas muito boas ou totalmente inadequadas; a função inferior tem ambos os aspectos e raramente se encaixa nos modelos convencionais.

C – O tipo sentimental extrovertido: pensamento introvertido inferior

O tipo sentimental extrovertido caracteriza-se pelo fato de que a sua principal adaptação é conduzida por uma adequada avaliação dos objetos exteriores e por uma relação apropriada com eles. Por essa razão, esse tipo fará amizades muito facilmente, terá poucas ilusões sobre as pessoas, mas será capaz de avaliar os seus lados positivos e negativos de maneira adequada. São pessoas bem ajustadas, muito razoáveis, que se envolvem amavelmente com o mundo, conseguem o que querem muito facilmente e também conseguem, de alguma forma, levar todos a lhes darem o que elas querem. Elas suavizam o ambiente tão maravilhosamente que a vida transcorre com muita facilidade. Esse tipo é muito frequentemente encontrado entre mulheres que de maneira geral têm uma vida familiar muito feliz, entre muitos amigos. Contudo, se de alguma forma estão dissociados neuroticamente, eles agem de maneira um tanto teatral, um tanto mecânica e calculista. Se se vai a um almoço festivo com um tipo sentimental extrovertido, ele dirá coisas como: "Que lindo dia está hoje"; "Estou feliz por vê-lo de novo"; "Não o via há muito". E ele realmente quer dizer isso! Com essa atitude o ambiente fica cheio de calor e a festa vai em frente. As pessoas se sentem felizes e entusiasmadas. Eles espalham uma espécie de atmosfera de aceitação que é muito agradável: "Nós gostamos uns dos outros e vamos passar um belo dia juntos". As pessoas do tipo sentimental extrovertido levam os que estão à sua volta a se sentirem maravilhosos e, em meio a isso, circulam alegremente e criam um ambiente social agradável. Contudo, se tais pessoas abusam desse comportamento, ou se o seu sentimento extrovertido já está gasto e elas, por isso, precisarem começar a usar o pensamento, percebe-se que isso se torna um hábito e que essas frases são repetidas por elas mecanicamente. Por exemplo, eu notei isso num tipo sentimental extrovertido, que certa vez, num dia terrível em que havia uma forte neblina, dizia mecanicamente: "Que lindo dia!" Eu então pensei: "Oh, querido, a sua função principal está rateando".

Por ter uma enorme capacidade para sentir objetivamente a situação de outras pessoas, esse tipo costuma ser o que se sacrifica mais genuinamente pelos outros. Se alguém estiver sozinho em casa, com um resfriado, será certamente um tipo sentimental extrovertido que aparecerá em primeiro lugar e perguntará quem está fazendo as compras e como ele poderá ajudar. Os outros tipos não são tão rápidos nem práticos em sentir o que fazer numa determinada situação. Mesmo que a sua afeição seja profunda, não ocorre a eles que poderiam fazer isso ou aquilo para ajudar, ou porque são introvertidos, ou porque outra função é dominante no seu sistema. Assim, encontra-se o tipo sentimental extrovertido sempre ajudando os que estão necessitados, porque ele percebe na hora se alguma coisa não está funcionando bem. Ele vê a importância ou o valor do que deve ser feito e o faz. Naturalmente, isso pode levar à resistência contra a situação exterior.

Geralmente esse tipo tem muito bom gosto na escolha de companheiros e amigos, mas é um pouco convencional a esse respeito. Não arrisca escolher alguém muito fora do comum; quer permanecer numa estrutura socialmente aceitável. O tipo sentimental extrovertido não gosta de pensar, porque essa é a sua função inferior e do que ele menos gosta é do pensamento introvertido – pensar sobre princípios filosóficos, abstrações ou questões básicas da vida. Essas questões mais profundas são cuidadosamente evitadas e eles consideram que pensar sobre tais problemas é entregar-se à melancolia. O ponto difícil é que pensam sobre tais coisas, mas não estão cientes disso e, como é negligenciado, o seu pensamento tende a tornar-se negativo e rude. Geralmente este consiste em julgamentos grosseiros e primitivos, sem a mais leve diferenciação, e, muitas vezes, de tom negativo. Percebi também no tipo sentimental extrovertido pensamentos muito negativos e críticos a respeito de pessoas que o rodeiam. Eu até diria que são julgamentos supercríticos, que ele nunca se permite exteriorizar. Jung disse que o tipo sentimental extrovertido pode às vezes ser a pessoa mais fria da Terra. Pode ser que você tenha sido atraído por ele e sinta que "nós gostamos um do outro e nos sentimos bem juntos". De repente, ele um dia diz algo que faz você sentir-se como se tivesse sido atingido por um bloco de gelo! Não se pode adivinhar que pensamentos negativos cínicos ele poderá ter. Esse tipo não tem consciência deles, que podem aparecer quando ele começa a ter um resfriado ou está nervoso. São momentos em que a função inferior se manifesta e o controle da função superior fracassa.

Uma pessoa do tipo sentimental extrovertido certa vez sonhou que deveria instalar um posto de observação de pássaros. No sonho, ela viu uma construção de cimento, uma torre bem alta em cujo topo havia uma espécie de laboratório, próprio para se observar pássaros. Nós temos um *Vogelbeobachtungstation* (Observatório de Pássaros) como o do sonho em Sempach: nele são postas argolas nos pássaros para se saber quanto tempo eles vivem, para onde vão etc.; ela estava para fazer isso. Então nós pensamos que ela deveria se conscientizar de pensamentos autônomos que poderiam, por assim dizer, pousar em sua mente e logo desaparecer. Num tipo sentimental é assim que os pensamentos operam: são pensamentos-pássaro que pousam em sua mente e voam para longe. Antes de ele poder dizer: "O que eu estou pensando?", o pensamento já se foi.

A mulher que sonhou com os pássaros concordou e eu perguntei-lhe como fazer isso na prática. Ela disse que pegaria um pequeno caderno de notas e um lápis e que os carregaria consigo. Assim, quando tivesse um pensamento repentino, simplesmente o anotaria. Mais tarde veríamos como eles estavam interligados. Na sessão seguinte, ela trouxe um pedaço de papel no qual havia escrito o seguinte: "Se o meu genro morresse, a minha filha voltaria para casa". Foi tal o choque que ela sentiu com aquele pensamento que nunca mais pôs outra argola num pássaro! O primeiro pássaro era suficiente por um bom tempo. Então ela confessou uma coisa muito interessante: contou que de alguma forma sabia que tinha tais pensamentos, mas que sempre lhe pareceu que, se não os escrevesse, eles não se realizariam, e que, se o fizesse, eles agiriam como magia negra e afetariam os que estivessem à sua volta. Por isso ela evitava tomar conhecimento deles. Essa atitude está totalmente errada, porque acontece exatamente o oposto: se o tipo sentimental tomar consciência dos seus pensamentos negativos, eles não agirão como magia negra e ficarão sem nenhum efeito destrutivo. Ê justamente quando são deixados sozinhos e voam em torno da mente, sem serem capturados, que eles exercem uma influência negativa à sua volta. Se analisarmos um tipo sentimental extrovertido e se formos um tanto sensíveis ao ambiente, muitas vezes nos sentiremos afetados pela sua frieza, embora ele se mostre amigável. Podemos sentir pensamentos negativos pulando ao redor da sua mente. Tais pensamentos nos atingem de forma desagradável. É frequente ver-se uma espécie de clarão gelado em seus olhos e perceber a presença de um pensamento muito negativo, que no minuto seguinte desaparece. Isso nos causa arrepios. Tais pensamentos geralmente se baseiam numa perspectiva muito depressiva da vida: o lado negro, isto é, as doenças, a morte e outras coisas semelhantes. No seu íntimo espreita uma espécie de segunda filosofia de vida: triste e negativista. No tipo sentimental extrovertido, esses pensamentos são introvertidos e, por isso, frequentemente voltados contra o próprio indivíduo. É do seu caráter essencial pensar que é um ninguém, que a sua vida é sem valor e que todas as outras pessoas podem desenvolver e trilhar o caminho da individuação, mas que para ele não há esperança. Esses pensamentos moram no fundo da sua mente e em determinadas circunstâncias, quando ele está deprimido ou não muito bem, e especialmente quando introverte – isto é, fica sozinho por meio minuto –, essa coisa negativa sussurra em sua mente: "Você não é nada, tudo que é seu está errado". Esses pensamentos são rudes, primitivos e muito indiferenciados; são julgamentos generalizados e que agem como uma corrente de ar gelado, que sopra no ambiente e nos dá calafrios. O efeito disso é que o tipo sentimental extrovertido naturalmente odeia estar sozinho – momento em que tais pensamentos negativos podem surgir. Então, assim que percebe um ou dois desses pensamentos, ele rapidamente liga o rádio ou corre para fora para encontrar outras pessoas. Ele jamais tem tempo para pensar! Mas organiza cuidadosamente sua vida dessa forma.

Se aquela mulher que teve apenas um pequeno pensamento ("Minha filha única voltaria para casa") tivesse indagado mais profundamente, acabaria por dizer a si mesma: "Certo, vamos enfrentar tal pensamento! O que eu estou procurando? Se tive tal pensamento, qual é a premissa e qual a conclusão a ser tirada?" Ela então poderia ter desenvolvido o pensamento: a premissa é algo semelhante à atitude da mãe devoradora e a conclusão é que ela quer que o genro se vá. Por quê? Com que propósito? Ela poderia ter dito, por exemplo: "Supondo que a minha filha voltasse para casa, e daí?" Então ela constataria que seria profundamente desagradável ter em casa uma filha amarga. Aprofundando mais, ela ainda indagaria: "E daí? Se a minha filha já deixou minha casa, qual o propósito real da minha vida?" Assim, ela teria de filosofar sobre o propósito futuro da sua vida: "A vida tem ainda algum significado para quem já criou os filhos e os lançou na vida? E, se tem, qual é ele? E qual o significado da vida em si?" Ela teria enfrentado as profundas questões filosóficas e humanas que nunca encarara antes, o que a levaria a níveis bem profundos. Naturalmente, ela poderia não ter resolvido o problema, mas poderia ter um sonho que a ajudasse ao longo do processo. Com a sua função inferior pensamento, poderia ter iniciado uma busca do significado da vida. Por ela ser um tipo sentimental extrovertido, a busca teria sido inteiramente introvertida e interior, uma espécie de desenvolvimento de uma visão filosófica introvertida da vida. Para chegar a isso, ela precisaria ficar sozinha, por um longo tempo, e lentamente tomar conhecimento do fundo escuro dos seus pensamentos.

A fuga fácil, que tenho observado em muitos casos de tipos sentimento extrovertido, é aquela em que eles saem das dificuldades simplesmente entregando a alma a um sistema já instituído. Um caso de que me lembro converteu-se ao catolicismo; ele simplesmente assumiu a filosofia escolástica e daí em diante só citava autores escolásticos. Essa atitude foi uma forma de fazer aflorar a função pensamento, mas sob uma forma já instituída. A mesma coisa pode ser feita com a psicologia junguiana: simplesmente repetir de cor os seus conceitos, de modo mecânico, sem jamais desenvolver o próprio ponto de vista. É uma espécie de atitude não criativa, de aluno, que apenas recebe o sistema na sua totalidade sem conferi-lo, sem fazer indagações como: "O que *eu* penso sobre isso? Estou realmente convencido? Coincide com os fatos que verifiquei?" Se essas pessoas encontram outras que sabem pensar, sentem-se desamparadas e por essa razão assumem uma atitude fanática. Lutam pelo sistema que escolheram com um certo fanatismo apostólico, porque se sentem inseguras quanto às suas bases: como ele se desenvolveu, quais os seus conceitos básicos etc. Como estão incertas a esse respeito e sentem que o sistema poderia ser derrubado por alguém que pensasse bem, adotam uma atitude agressiva.

Outro perigo que surge é que o tipo sentimento extrovertido, quando começa a pensar, pode ficar completamente aprisionado por isso. Ou ele não consegue se afastar o suficiente das suas amizades para se isolar e pensar, ou, se tiver sucesso – o que já é um grande progresso – em cortar esses vínculos externos, ele se prende demais ao pensamento e perde a vida de vista. Mergulha nos livros ou em bibliotecas, onde se cobre de poeira, não sendo mais capaz de lidar com nenhuma outra atividade. Ele é tragado pela sua ocupação. Os dois desenvolvimentos são muito bem representados no Fausto de Goethe onde, primeiramente, aparece o cientista totalmente afastado da vida, envolvido pelo estudo, e então, quando Fausto se liberta e se lança na vida, o pensamento inferior do tipo sentimental é representado por Wagner, o empregado subserviente que apenas repete frases banais que tirou de livros. Um exemplo famoso do pensamento inferior de um tipo sentimental extrovertido é *Conversations with Eckermann* de Goethe. É uma divertida coleção de banalidades em que se pode observar claramente o lado Wagner de Goethe. Além disso, ele publicou também uma coleção de máximas que podem ser encontradas no verso de qualquer calendário. São muito verdadeiras: dificilmente se poderia negá-las, mas são tão banais que qualquer tolo poderia tê-las criado. Isso é Wagner agindo no grande poeta.

D – O tipo sentimental introvertido: pensamento extrovertido inferior

O tipo sentimental introvertido tem também a característica de se adaptar à vida, especialmente através do sentimento, porém de maneira introvertida. É um tipo muito difícil de ser entendido. Jung, nos *Psychological Types*, afirma que a expressão "as águas paradas correm no fundo" se aplica a esse tipo. Pessoas assim têm uma escala altamente diferenciada de valores, mas não os expressam exteriormente; são afetadas por eles no íntimo. É frequente achar-se o tipo sentimental introvertido nos bastidores de acontecimentos importantes e valiosos, como se o seu sentimento introvertido lhes tivesse dito "o importante está aqui". Com uma espécie de lealdade silenciosa e sem nenhuma explicação, eles surgem em lugares onde valiosos e importantes fatos interiores, constelações arquetípicas, são encontrados. Exercem também uma secreta influência positiva à sua volta, estabelecendo padrões. Os outros os observam e, embora não digam nada porque são muito introvertidos para se expressarem muito, eles estabelecem padrões. Assim, por exemplo, o tipo sentimental introvertido muito frequentemente forma a base ética de um grupo. Sem irritar os outros com a pregação de preceitos morais ou éticos, ele próprio tem padrões éticos tão corretos que emanam secretamente uma influência positiva sobre aqueles que estão à sua volta; as pessoas têm de se comportar corretamente porque o tipo sentimental introvertido possui a espécie correta de padrão de valores, o que, sugestivamente, sempre força as pessoas a serem decentes se eles estão presentes. O seu sentimento introvertido diferenciado sente interiormente qual o fator de real importância.

O pensamento desse tipo é extrovertido. Em chocante contraste com a sua aparência externa impassível e silenciosa, essas pessoas geralmente se interessam por um grande número de fatos exteriores.

A sua personalidade consciente não se movimenta muito. Elas tendem a se acomodar. Mas o seu pensamento extrovertido vagueia sobre uma imensa série de fatos externos. Se querem usar o seu pensamento extrovertido de maneira criativa, elas têm a dificuldade costumeira dos extrovertidos de se afligirem pelo excesso de material, de referências e de fatos, razão por que o seu pensamento extrovertido inferior algumas vezes se perde num pantanal de detalhes, não conseguindo mais encontrar a saída. A inferioridade do seu pensamento extrovertido muito frequentemente se expressa numa monomania; na realidade, eles têm apenas um ou dois pensamentos a partir dos quais produzem uma enorme quantidade de material. Jung sempre caracterizou o sistema freudiano como um exemplo típico de pensamento extrovertido.

Ele nunca disse nada sobre o tipo de Freud como ser humano, assinalando em seus livros tão somente que o *sistema* de Freud representa o pensamento extrovertido. O que acrescento agora é minha convicção pessoal, isto é, que o próprio Freud era um tipo sentimental introvertido e que, por isso, os seus trabalhos apresentam as características do seu pensamento extrovertido inferior. Em todos os seus escritos, as ideias básicas são poucas e, com elas, ele produziu uma enorme quantidade de material, sendo todo o sistema orientado para o objeto externo. Lendo-se notas biográficas sobre Freud, verifica-se que, como pessoa, ele tinha uma maneira bem diferenciada de tratar as pessoas. Era um excelente analista e tinha uma espécie de "cavalheirismo" velado que exercia uma influência positiva não só sobre seus pacientes como sobre todos os que o rodeavam. No seu caso, é preciso realmente fazer uma distinção entre a sua teoria e a sua personalidade como ser humano. Pelo que se ouve sobre ele, creio que pertencia ao tipo sentimental introvertido. A vantagem do pensamento extrovertido inferior é o que caracterizei negativamente como "produzir com poucas ideias uma grande quantidade de material".

(O próprio Freud reclamava que as suas interpretações dos sonhos eram terrivelmente monótonas: a mesma interpretação de cada sonho era entediante mesmo para ele.) Se essa tendência não for exagerada e se o tipo sentimental introvertido estiver consciente do perigo da sua função inferior e a controlar, haverá a grande vantagem da simplicidade, da clareza e da inteligibilidade. Contudo, essa atitude não é suficiente e o tipo sentimental introvertido tem necessidade de penetrar mais profundamente, tentando especificar e diferenciar o seu pensamento extrovertido. Do contrário, cairá na armadilha da monomania intelectual. Assim, ele deve especificar o seu pensamento, isto é, levantar a hipótese de que cada fato que ele cita como prova das suas ideias as ilustra de uma forma ligeiramente diferente e, tendo isso em vista, suas ideias devem ser reformuladas de acordo com a circunstância. Agindo assim, ele manterá vivo o processo de contato entre o pensamento e o fato, em lugar de simplesmente impor os seus pensamentos aos fatos. O pensamento extrovertido inferior tem as mesmas tendências negativas a tornar-se tirânico, obstinado e inflexível, e, por isso, não muito adaptado ao seu objeto – características comuns a todas as funções inferiores.

(Segue-se um período de perguntas e respostas)

Pergunta: Os tipos de atitude e de funções são igualmente distribuídos? Há tantos extrovertidos quanto introvertidos?

Dra. Von Franz. Nós não conhecemos toda a espécie humana, não temos estudos sobre as populações chinesas e lugares desse tipo. É muito comum atribuir a cada nação um tipo. Assim, por exemplo, dizemos que o suíço é, basicamente, um tipo perceptivo introvertido. Isso nos faz supor que em certos grupos algumas vezes um tipo prevalece. Embora haja muitos suíços de outro tipo, há estatisticamente uma preponderância do tipo perceptivo introvertido. Podemos observar isso no alto padrão da habilidade suíça: a indústria de relógios necessita de uma atitude *introvertida* com sensação diferenciada para operar corretamente. Assim, nos diferentes países e nações, pode-se dizer que um tipo é dominante e cria uma atitude predominante nos grupos. Porém, eu não sei como fazer uma afirmação geral sobre isso. Há necessidade de pesquisar.

Pergunta: Alguns de nós estão muito interessados em tentar estudar experimentalmente se a hipótese das quatro funções é ou não sustentável. Temos uma hipótese com a qual, do ponto de vista teórico, seríamos capazes de verificar se as pessoas podem ou não ser categorizadas com essas quatro espécies diferentes. Na América tem havido muitas tentativas de classificar as pessoas em introvertidas e extrovertidas, e, pelo que sei, não se encontraram evidências disso, porque a maioria dos indivíduos está no meio-termo. Qual a sua impressão sobre a tentativa de trabalhar com essa hipótese experimentalmente?

Dra.Von Franz. Eu acho que você está absolutamente certo em prosseguir com a sua experiência. Ninguém pode simplesmente afirmar que essa teoria seja verdadeira; deveríamos testar milhões de pessoas estatisticamente, algo que ainda não foi feito. Contudo, como você pode deduzir das minhas explicações, o diagnóstico do tipo é muito difícil, porque as pessoas muito frequentemente estão em estágios que lhes dão a certeza de serem de determinado tipo; mas é necessária toda a anamnese para se saber se não se trata apenas de um estágio momentâneo da pessoa. Por exemplo, alguém diz ser um extrovertido; mas isso nada significa; é preciso conhecer detalhadamente a biografia da pessoa para se fazer um diagnóstico relativamente certo. Não temos até agora nenhum fundamento absolutamente certo, científico, para a nossa teoria e não temos a pretensão de tê-lo.

Minha atitude em relação a essa indagação é a de que a ideia das quatro funções é um modelo arquetípico de se observar as coisas que têm as vantagens e as desvantagens de todos os modelos científicos. Certa vez, o professor Pauli, o físico, disse algo que me pareceu muito convincente. Para ele, no campo da ciência, nenhuma teoria nova ou nenhuma invenção produtiva jamais foi apresentada sem a ação de uma ideia arquetípica. Assim, por exemplo, as ideias do espaço tridimensional e tetradimensional são baseadas numa representação arquetípica, que sempre funcionou, até certo ponto, de maneira muito produtiva, ajudando a explicar muitos fenômenos. Mas então vem o que Pauli chama de autolimitação de uma teoria, isto é, se se estende exageradamente a ideia a fenômenos a que ela não se aplica, a mesma ideia frutífera torna-se uma inibição para o progresso científico ulterior. Assim, a ideia do espaço tridimensional é ainda completamente válida para a mecânica comum e todo carpinteiro e todo pedreiro a usam para fazer um desenho ou uma planta; porém, se se tentar estendê-la ao campo da microfísica, perde-se o rumo. Poder-se-ia dizer que essa foi uma ideia arquetípica que surgiu, na mente científica dos ocidentais, a partir do dogma da Trindade, algo que se pode provar claramente. Keppler, ao construir os seus modelos planetários, afirmou que o espaço tem três dimensões por causa da Trindade! Descartes também pode ser tomado como exemplo, com a sua ideia da causalidade, cuja base, segundo ele, era o fato de que Deus nunca fantasiou, mas, pelo contrário, sempre procedeu de maneira lógica, razão por que todas as coisas devem estar causalmente ligadas. Todas as ideias básicas, mesmo as das ciências naturais, são modelos arquetípicos, mas funcionam se não as estendermos demais. Agem de maneira proveitosa se não forçarmos fatos que não se enquadram nelas. Por isso, acho que a teoria das quatro funções tem uma espécie de valor prático, mas não é um dogma. Jung, em seus livros, a considera claramente como um ponto de vista heurístico

– uma hipótese através da qual se podem descobrir coisas. Sabemos hoje que, em todas as investigações científicas, não podemos senão construir modelos de pensamento e verificar até onde os fatos se ajustam e, caso estes não coincidam, se teremos de corrigir o modelo. Algumas vezes não precisamos revisar todo o modelo; dizemos simplesmente que ele só se aplica a determinada área e que, quando o aplicamos a outra, ele se torna uma distorção. Pessoalmente, estou convencida de que ainda não exaurimos a fertilidade do modelo, mas isso não significa que não haja fatos que não se ajustam a ele e que poderiam nos forçar a revisá-lo.

Pergunta: Um tipo sentimental introvertido pode sentir o pensamento introvertido ou é sempre pensamento extrovertido inferior?

Dra.Von Franz. Se for um tipo sentimental introvertido, você *poderá* também pensar introvertidamente. É claro que você poderá ter todas as funções de todas as maneiras, o que não será um grande problema e não irá intensificar muito a vida. Jung disse que o aspecto mais difícil de ser entendido não é o tipo *contrário*. Assim, quem é do tipo sentimental introvertido terá muita dificuldade de entender um tipo pensativo extrovertido, mas será ainda pior compreender o mesmo tipo funcional com a outra atitude. Seria muito difícil um tipo sentimental introvertido entender um tipo sentimental extrovertido. Ele sente que não sabe como as coisas funcionam na cabeça do outro, não consegue penetrar nela. Essas pessoas são um enigma, são muito difíceis de entender sem um certo esforço. Nesse ponto a teoria dos tipos tem um sentido prático muito importante, pois é o único meio de impedir a incompreensão completa de certas pessoas. Ela dá a indicação para a compreensão de um indivíduo cujas reações espontâneas são um completo mistério, a quem nós, se reagíssemos espontaneamente, compreenderíamos de modo totalmente errado.

Pergunta: Qual a diferença entre a intuição inferior e o sentimento inferior?

Dra.Von Franz. A intuição é uma função irracional que capta fatos, possibilidades futuras e possibilidades de evolução, mas não é uma função de julgamento. A intuição inferior pode ter pressentimentos sobre uma guerra, sobre a doença de outras pessoas ou sobre mudanças arquetípicas no inconsciente coletivo. A intuição introvertida tem repentinos pressentimentos sobre a lenta transformação do inconsciente coletivo no fluxo do tempo. A intuição apresenta os fatos sem valoração. O sentimento é muito diferente. Nos termos de Jung, é uma função racional – *ratio*: ordem, cálculo, razão –, uma função que estabelece ordem e que julga dizendo "isto é bom", "isto é ruim", "isto é agradável", "isto é desagradável" para mim. O sentimento inferior de um tipo pensativo julgará valores e não representará fatos. Por exemplo, um tipo perceptivo extrovertido que negligenciou em larga medida a sua intuição teve um sonho repetido com pessoas pobres e trabalhadores, de um tipo desagradável, que entraram em sua casa à noite. Ele ficou apavorado com esse sonho que se repetia sempre e começou a dizer no círculo das suas amizades e nos jantares festivos que sabia que os comunistas venceriam e que não havia nada que pudesse ser feito. Como ele era um político muito capaz, isso teve um efeito ruim. Essa foi uma espécie errada de intuição baseada na projeção pessoal. Esse é um exemplo de intuição inferior. Alguém com sentimento inferior poderia repentinamente iniciar um processo, convencido de que estava lutando pelo direito e pelo bem; mas, se outra pessoa conseguisse derrubar essa convicção, ele desistiria de tudo, incluindo o processo que ele mesmo iniciou.

A repentina mudança no seu julgamento indicaria o sentimento inferior. As pessoas são muito facilmente influenciáveis quando o problema é a sua função inferior. Uma vez que esta se encontra no inconsciente, elas podem facilmente ser levadas a duvidar da sua própria posição, ao passo que, no domínio da sua função superior, em geral sabem como agir quando atacadas. Têm todas as suas armas prontas e a mente aberta, sendo flexíveis e tomadas por uma sensação de força. Quando se sente forte, a pessoa se dispõe a discutir coisas ou a mudar de atitude, mas quando se sente inferior, se torna fanática e suscetível, e é facilmente influenciável. A expressão do rosto de um amigo pode afetar o sentimento de um tipo pensativo, porque o seu sentimento está no inconsciente e, portanto, aberto à influência. Por isso, como mencionei antes, o tipo pensativo extrovertido pode ter amigos muito leais, mas repentinamente pode também virar-se contra eles. Um dia ele pode evitar você como a uma batata quente e você não saberá o que aconteceu! De alguma forma, algo venenoso entrou no seu organismo, alguém disse alguma coisa ou apenas fez uma careta quando o seu nome foi mencionado! O sentimento é inconsciente. Tais efeitos só poderão ser curados quando forem absorvidos conscientemente. Se você objetasse, em termos racionais, à sua ideia de mover um processo, o tipo pensativo extrovertido estaria disposto a discuti-la e a indagar de suas razões. Ficaria acessível e não influenciável de maneira errada, ao passo que, no domínio do sentimento, explodiria de repente, sem razão e sem nem mesmo saber por quê.

Capítulo IV

O PAPEL DA FUNÇÃO INFERIOR NO DESENVOLVIMENTO PSÍQUICO

A função inferior é a porta pela qual todas as figuras do inconsciente chegam à consciência. Nosso reino consciente é como um quarto com quatro portas, e é pela quarta porta que a Sombra, o *Animus*, ou a *Aninia*, e a personificação do Si-mesmo entram. Eles não entram com a mesma frequência pelas outras portas, o que de certo modo é autoevidente: a função inferior está tão perto do inconsciente e permanece tão bárbara, inferior e não desenvolvida que é naturalmente o ponto frágil da consciência, através do qual as figuras do inconsciente podem passar. Na consciência, a função inferior é sentida como um ponto frágil, aquela coisa desagradável que nunca deixa a pessoa em paz e que sempre causa problemas. Todas as vezes que alguém percebe que adquiriu um certo equilíbrio interior, um ponto de vista firme, acontece algo, interior ou exteriormente, para derrubá-la novamente. Essa força vem sempre pela quarta porta, que não pode ser fechada, ao contrário das outras três. Mas, na quarta porta, a fechadura não funciona e, quando menos se espera, o inesperado entra de novo. Graças a Deus, poderíamos acrescentar, pois, do contrário, todo o processo da vida iria se petrificar e estagnar numa espécie errada de consciência. A função inferior é a ferida sempre aberta da personalidade consciente, mas, através dela, o inconsciente pode sempre entrar e assim ampliar a consciência e gerar uma nova atitude.

Enquanto não se desenvolverem as outras funções, as duas funções auxiliares, também elas serão portas abertas. Numa pessoa que desenvolveu apenas uma função superior, as duas funções auxiliares funcionarão como a função inferior e aparecerão em personificações da Sombra, do *Animus* e da *Anima*. Quando se conseguiram desenvolver e fechar três das portas internas, o problema da quarta porta ainda permanecerá, pois esta é a que não deve, aparentemente, ficar fechada. Nela temos de sucumbir, temos de ser derrotados, a fim de nos desenvolvermos mais.

Nos sonhos, a função inferior se refere à Sombra, ao *Animus/Anima* e ao Si-mesmo, dando-lhes uma certa qualidade característica. Assim, por exemplo, a sombra num tipo intuitivo será frequentemente personificada por um tipo perceptivo. A função inferior é contaminada pela sombra de cada tipo: num tipo pensativo, ela aparecerá como um tipo sentimental relativamente inferior ou primitivo etc. Por isso, se, ao interpretarmos um sonho, pedirmos uma descrição dessa figura-sombra, as pessoas descreverão a sua própria função inferior. Então, quando a pessoa se tornou consciente da própria Sombra, a função inferior dará à figura do *Animus* ou da *Anima* uma qualidade especial. Por exemplo, a figura da *Anima*, se for personificada por um ser humano particular, muito frequentemente aparecerá como uma pessoa da função contrária. Também quando aparecer a personificação do Si-mesmo, acontecerá a mesma coisa.

Outro tipo de personificação, que naturalmente tem a ver com a Sombra, ocorre quando a quarta função é contaminada pelos níveis mais baixos das camadas sociais ou pelas conhecidas nações subdesenvolvidas. É uma maravilha ver como nós, na nossa arrogância superior, olhamos com desdém os "países subdesenvolvidos" e projetamos neles a nossa função inferior. Os países subdesenvolvidos estão dentro de nós mesmos. Muito frequentemente, a função inferior aparece como um negro ou um índio selvagem. É também representada por povos exóticos como: chineses, russos ou quaisquer povos que possam ter uma coisa desconhecida do domínio consciente, como se este quisesse dizer: "é tão desconhecido para você quanto a psicologia chinesa".

Essa representação social da função inferior é particularmente apropriada, já que essa função tende a ter, em seu aspecto negativo, um caráter bárbaro. A função inferior pode causar um estado de possessão: se, por exemplo, os introvertidos caírem na extroversão, eles o farão de maneira bárbara e possessa. Uso a palavra "bárbaro" no sentido de ser incapaz de exercer um controle consciente, de ser arrastado, incapaz de pôr um freio, incapaz de parar. Essa espécie de extroversão impulsiva exagerada poucas vezes é encontrada nos extrovertidos genuínos; mas, em introvertidos, parece um carro sem freios que acelera sem o mais leve controle. Um introvertido pode tornar-se altamente desagradável, importuno, arrogante, e gritar tão alto que toda a sala o ouvirá. Tal introversão inferior poderá repentinamente vir à tona da forma citada quando o introvertido se embriagar.

A introversão do extrovertido é igualmente bárbara e possessa, mas não tão visível. Um extrovertido, quando possuído pela introversão bárbara, desaparece da vista dos outros. Ele fica alucinado no seu próprio quarto. Extrovertidos que caem na sua introversão primitiva caminham como se fossem muito importantes, assegurando a todo mundo que estão tendo experiências místicas muito profundas sobre as quais não podem falar. Dando-se ares de importância, eles dizem que naquele momento estão profundamente mergulhados na imaginação ativa e no processo de individuação. A possessão bárbara causa um estranho sentimento. Se isso acontece sob a forma de ioga ou de antroposofia, haverá a mesma manifestação de estar acontecendo algo místico, de impenetrável profundidade, em que eles agora mergulharam.

Na realidade, eles estão constantemente tentados a voltar à sua extroversão, o que explica a sua ênfase excessiva na falta de tempo para ter contato com as pessoas. Eles adorariam voltar à sua extroversão e ir a todas as festas e jantares da cidade. Então, defensivamente, dizem: "Não, isso é absolutamente proibido. Agora eu estou nas profundezas da psique". É muito frequente que nessa fase as pessoas estejam certas de *serem* o tipo que estão vivendo no momento. Os extrovertidos que estão na fase em que devem assimilar a introversão jurarão que são, e que sempre foram, introvertidos e que sempre foi um erro considerá-los extrovertidos. Dessa maneira, tentam se ajudar a voltar para o outro lado. Se eles tentam expressar as suas experiências interiores, geralmente o fazem superexcitados; tornam-se terrivelmente emocionais, querem tomar a palavra e ser ouvidos por todos. Para eles, isso é algo ímpar e tremendamente importante.

Essa qualidade bárbara da função inferior constitui a grande divisão da personalidade humana. Um indivíduo deve agradecer a Deus se a sua função oposta só for personificada em sonhos pelos chamados primitivos, porque muito frequentemente ela é representada por figuras da Idade da Pedra e até mesmo por animais. Em tal caso, pode-se dizer que a função inferior sequer alcançou um nível humano primitivo. A função inferior que se encontre nesse estágio habita, por assim dizer, no corpo e só consegue manifestar-se através de sintomas ou atividades físicos. Quando vejo, por exemplo, um intuitivo introvertido esticar-se ao sol com tamanho deleite com a sua função inferior, sinto que ele é como um gato aproveitando o sol; a sua sensação ainda está no nível de um animal.

Num tipo pensativo, o sentimento muitas vezes não ultrapassa o nível canino. Mais difícil ainda é imaginar que o tipo sentimental pensa como um animal, mas mesmo isso é verdade, porque ele tem o hábito de fazer declarações banais, como as de uma vaca se esta pudesse falar. Os cachorros às vezes fazem lamentáveis tentativas de pensar. O meu cachorro fez um esforço e chegou a algumas conclusões terrivelmente erradas. Ele costumava deitar-se sempre no meu sofá e eu tinha o hábito de expulsá-lo. Daí ele concluiu que eu não aprovava que se sentasse em nada que estivesse acima do chão. Assim, sempre que eu o punha sobre alguma coisa, ele ficava desnorteado e pensava que seria punido. Não conseguia entender que a proibição se relacionava apenas com o sofá e não com todas as outras coisas. Ele simplesmente chegara a uma conclusão errada. Um cachorro tem uma função pensamento semidesenvolvida que tende a levá-lo a conclusões erradas. Frequentemente me sinto chocada com o fato de que o tipo sentimental pensa exatamente da mesma forma, pois, quando se tenta explicar alguma coisa a ele, chega a uma conclusão geral, a uma generalização radical que de maneira alguma se ajusta à situação. O pensamento primitivo agiu em sua cabeça e ele tira uma conclusão espantosamente inadaptada que levou a resultados inteiramente errados. Assim, pode-se dizer com frequência que o nível do pensamento do tipo sentimental é mais ou menos o de um cachorro: inútil e inflexível.

Na maioria das sociedades normais, as pessoas cobrem a sua função inferior com uma persona. Uma das principais razões pelas quais se desenvolve uma persona é para não se exporem inferioridades, em especial as da quarta função. A persona é contaminada pela nossa natureza animal e pelos nossos afetos e emoções inadequados.

Quando fundou o Clube Psicológico de Zurique, Jung queria descobrir como trabalharia um grupo cuja função inferior não estivesse coberta e em que as pessoas se contatassem através dela. O resultado foi absolutamente surpreendente. As pessoas de fora que entravam nessa sociedade ficavam chocadas com o comportamento rude e com as discussões intermináveis desse grupo. Certa vez, há muitos anos, visitei o Clube. Até então eu nunca fizera nada para ser membro dele por me sentir envergonhada. Um dia, Jung me disse: "Você não *quer* se ligar ao Clube Psicológico ou não se *atreve* a fazer parte dele?" Eu respondi que não me atrevia, mas que gostaria. Então ele disse: "está certo, eu serei o seu padrinho" – para entrar no clube há a exigência de um padrinho – "mas esperarei primeiro para ver se você tem um sonho que indique que o momento certo chegou". E o que eu sonhei? Sonhei que um cientista natural, um velho que se parecia muito com Jung, tinha criado um grupo experimental para descobrir como animais de diferentes espécies conviviam uns com os outros. Entrei num lugar onde havia aquários com peixes, cercados por tartarugas, lagartixas e outras criaturas desse tipo, gaiolas com pássaros, cachorros e gatos. O velho estava sentado no meio, tomando notas a respeito do comportamento social dos animais. Descobri então que eu era um peixe voador num aquário e que poderia saltar para fora. Contei o meu sonho a Jung e ele disse com um sorriso: "Acho que agora você está suficientemente amadurecida para se ligar ao Clube Psicológico: você captou a ideia central, o seu propósito".

Dessa maneira bem humorística o inconsciente captou a ideia: é realmente um grande problema o contato entre seres humanos, pois na função inferior um é um gato, outro uma tartaruga e um terceiro uma lebre; há todos esses animais. Em tal situação, é preciso enfrentar o problema de manter o próprio território. Muitas espécies animais têm a tendência de "possuírem" alguns metros de terra e de defendê-la contra todos os intrusos. Esses complicados rituais de defesa territorial ressurgem sempre que os seres humanos se juntam e, deixando de lado a persona, tentam ter um real contato entre si. Surge então a sensação de se estar numa selva, não se deve pisar nesta cobra ou assustar aquele passarinho com um movimento muito rápido. E as coisas ficam bem complicadas. Isso até me levou à crença de que a psicologia causa uma deterioração no comportamento social das pessoas, o que de certa forma é verdade. No Instituto C. G. Jung, de certa maneira, nós convivemos de forma mais complexa e mais difícil do que numa sociedade de criadores de cachorros ou de lebres, ou num clube de pescadores. Ali, o contato social se dá geralmente num nível muito mais convencional e parece ser mais civilizado. Mas a verdade é que, no Instituto e no Clube Psicológico, tendemos a não encobrir o que fica no nosso interior. Na maioria das outras sociedades ou grupos, a função inferior permanece encoberta; sob a superfície há muitas dificuldades, mas elas nunca emergem e são discutidas abertamente. A assimilação da sombra e da função inferior tem o efeito de tornar as pessoas, do ponto de vista social, mais difíceis e menos convencionais, fatores que levam a atritos. Por outro lado, ela cria também uma maior vivacidade – o ambiente nunca é aborrecido, há sempre uma tempestade num copo de água; o grupo, em lugar de manter uma espécie de superfície apagada e polida, é muito mais animado. No Clube Psicológico, por exemplo, a tendência animal a ter o próprio território tornou-se tão forte que as pessoas começaram a reservar os seus lugares. Havia a cadeira de "Fulano", na qual não se podia sentar; isso seria o maior insulto, porque Fulano sempre se sentava lá. Notei que também havia papéis em certas cadeiras do Instituto. Ali, o "gato" ou o "cachorro" Fulano se senta. Isso é um bom sinal. Trata-se da restauração de uma situação original e natural.

É espantosa a profundidade com que a função inferior pode ligar-nos com o domínio da natureza animal que há dentro de nós. Deixando de lado a maneira humorística pela qual acabei de descrevê-la, a função inferior é realmente a conexão com os instintos mais profundos, com as raízes interiores, e é, por assim dizer, o que nos liga com todo o passado da espécie humana. As sociedades primitivas têm danças com máscaras de animais que visam conectar a tribo com seus fantasmas ancestrais, com todo o seu passado. Abandonamos a maioria dessas danças mascaradas, restando apenas o Carnaval.

Quando uma pessoa experimenta o *problema* das funções, o próximo passo do processo de desenvolvimento psíquico é a assimilação das duas funções auxiliares. Não se deve esquecer que a assimilação dessas funções é uma tarefa tão difícil que as pessoas em geral gastam muito tempo nela. Algumas vezes, as pessoas até se transformam num certo tipo, que não é o seu original, por oito ou dez anos.

Assimilar uma função significa viver com ela no primeiro plano. O fato de alguém cozinhar ou costurar um pouco não significa que a função sensação foi assimilada. A assimilação significa que toda a adaptação da vida consciente recai naquela função por algum tempo. A passagem para uma função auxiliar ocorre quando se sente que a atual maneira de viver se tornou "sem vida", quando se fica, de modo mais ou menos constante, entediado consigo mesmo e com as próprias atividades. Em geral, não é preciso chegar a uma conclusão teórica acerca da função para a qual passar. A melhor maneira de saber como escolhê-la é dizer: "Muito bem, tudo isso me é completamente aborrecido, não significa mais nada. Na minha vida passada, qual a atividade que penso poder ainda aproveitar? Uma atividade que pudesse me dar prazer?" Então, se consegue realizar essa atividade, a pessoa verá que passou para outra função.

Quero agora tratar do problema do estabelecimento daquilo que na minha primeira palestra chamei de "região intermediária". Quando uma pessoa alcança o estágio de lidar seriamente com a sua função inferior, isso se torna uma questão crucial. A função inferior não pode ser assimilada nos limites da consciência; está por demais implicada com o, e contaminada pelo, inconsciente. Ela pode ser "elevada", mas, no processo de elevá-la, a consciência é rebaixada. No processo dessa interação dinâmica, a região intermediária é estabelecida.

Tocar a função inferior se assemelha a um colapso interior num certo ponto crucial da vida. Isso tem, contudo, a vantagem de vencer a tirania da função dominante no complexo do ego. Se alguém realmente passou por essa transformação, poderá usar a função pensamento, se esta for a reação apropriada, ou poderá deixar a intuição ou a sensação agirem, mas não estará mais subjugado pela função dominante. O ego pode pegar uma função particular e colocá-la de volta, como uma ferramenta, consciente da sua própria realidade fora do sistema das quatro funções. Esse ato de separação é atingido através do encontro da função inferior. A função inferior é uma ponte importante para a experiência das camadas profundas do inconsciente. Ir até ela e ficar com ela, e não fazer-lhe uma rápida visita, produzem uma enorme mudança em toda a estrutura da personalidade.

Jung cita repetidamente o velho ditado da lendária autora e alquimista Maria Prophetissa. "O um se torna dois e o dois, três; e do terceiro vem o um como o quarto". O um se torna dois, isto é, primeiramente vem o desenvolvimento da função principal e então a assimilação da primeira função auxiliar. Depois disso, a consciência assimila uma terceira: agora há três. Mas o próximo passo não consiste na mera adição de outra unidade: um, dois, três e então quatro. Do terceiro não vem o quarto, mas o Um. Jung, certa vez, numa conversa particular, me disse que não há o quarto na camada superior; a coisa acontece assim:

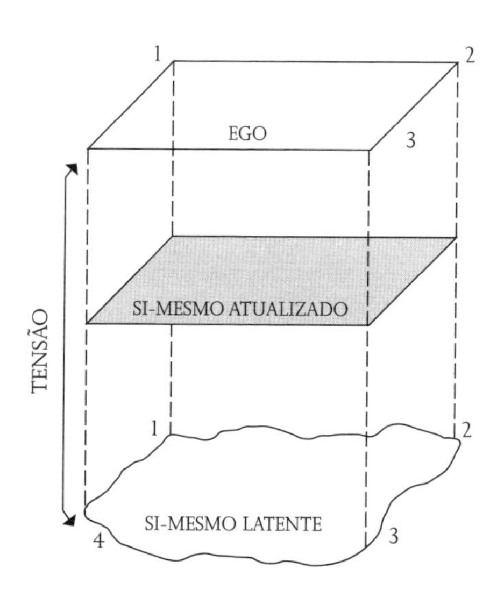

Campo de consciência do ego ingênua com três funções.

Campo intermediário em que a relação ego-Si-mesmo não funciona mais autonomamente, mas é apenas instrumental.

Totalidade pré-consciente com as quatro funções pré-formadas.

Pode-se ilustrar isso de outra maneira: há um rato, um gato, um cão e um leão. Os três primeiros animais podem ser domesticados se forem bem tratados, mas então vem o leão. Ele se recusa a ser acrescentado como o quarto e devora os outros; no fim, só sobra um animal. É assim que se comporta a função inferior; quando se manifesta, devora o resto da personalidade. O quarto toma-se o Um porque já não é o quarto; resta apenas um. É um fenômeno total da vida psíquica, não mais uma função! Naturalmente, isso é uma comparação e dá apenas uma espécie de ilustração. No seu livro *Mysterium Coniunctionis* (p. 202), Jung cita um texto alquímico que espelha o problema da quarta função e do estabelecimento da região intermediária. O texto chama-se "Tratado do alquimista Aristóteles dirigido a Alexandre, o Grande, sobre a Pedra Filosofal". Provavelmente é de origem árabe e aparece traduzido para o latim numa das primeiras publicações de alquimia.

É dada a seguinte receita:

> Toma a serpente, coloca-a no carro de quatro rodas e deixa-a dar uma volta na terra até que esteja submersa nas profundezas do mar e nada mais seja visível senão o mais negro mar morto. Deixa permanecer o carro com as rodas até que subam tantos gases vindos da serpente que toda a superfície (*planities*) fique seca e, por dissecação, arenosa e negra. Tudo isso é a terra que não é terra, mas uma pedra a que falta todo o peso...
>
> (E quando os gases se precipitarem na forma de chuva) deves tirar o carro da água e levá-lo para terra seca; e então coloca as quatro rodas sobre o carro e obterás o resultado se seguires ainda mais para o Mar Vermelho, correndo sem correr, movimentando-se sem movimento (*currens sine cursu, movem sine motu*).

Essa é uma imagem muito estranha. Tirar as rodas do carro e colocá-las sobre ele. (É interessante poder encontrar a mesma imagem no I Ching. Ali é dito algumas vezes que se devem tirar as rodas da carroça. Pelo que sei, essa imagem chinesa não pode ter nenhuma conexão direta com a alquimia do Ocidente.) Jung então comenta: a cobra, na alquimia, é o símbolo de Mercurius, é a *prima materia*, matéria com a qual o processo começa. Mais adiante, Mercurius personifica uma espécie de espírito da natureza cheio de opostos. Essa cobra é colocada sobre um carro. As rodas são interpretadas no texto como as rodas dos elementos e o carro é chamado de sepultura esférica, um túmulo redondo ou sepulcro. O símile do carro, no nosso texto, representa o recipiente alquímico no qual o espírito do inconsciente está contido. Jung diz que o simbolismo dessa passagem descreve as fases essenciais da obra: a cobra de Hermes – o lado frio da natureza, o inconsciente – é aprisionada num recipiente redondo, de vidro, que representa tanto o Cosmos como a alma. Do ponto de vista psicológico, tal imagem simboliza a consciência dos dois mundos: o interior e o exterior. Pôr as rodas sobre o carro indica a cessação das quatro funções: dirigi-las para dentro, por assim dizer. A transformação posterior dessas quatro rodas corresponde ao processo de integração através da função transcendente. Esta une os opostos e, como mostra a alquimia, estes últimos são ordenados num quatérnio.

Esse símbolo alquímico não minimiza o problema da quarta função, mas aponta para uma solução. O ego assimila a primeira função e fica satisfeito por algum tempo. Posteriormente, ele assimila uma segunda função e vive alegremente, uma vez mais. Ele arrancou ambas do inconsciente. Então o ego arranca uma terceira função, levando-a para o plano da consciência. Agora já estão assimiladas, num nível civilizado, superior, com o qual tentamos viver normalmente, três funções. Quanto à quarta função, já não é possível trazê-la para o mesmo nível. Se se fizer uma tentativa muito exagerada, acontecerá o contrário: ela levará a consciência do ego para um nível completamente primitivo. Uma pessoa pode se identificar com a quarta função e com os seus impulsos de forma absoluta, ocorrendo então aquelas mudanças repentinas em que as pessoas de repente regridem a um nível animal.

Eu já me referi ao filme *Anjo Azul*, no qual esse problema foi apresentado: um professor universitário passa repentinamente para a sua função sentimento inferior e se torna um palhaço de circo, apaixonado por uma mulher fatal de um cabaré. Esse comportamento não é certamente a *assimilação* da quarta função. Pode-se cair num baixo nível animal, se se quiser, vivendo a função inferior de uma forma concreta, sem tê-la assimilado em nenhum aspecto. Nesse caso, apenas perdemos toda a estrutura superior da personalidade anterior. Podem fazer isso as pessoas que têm uma grande coragem primitiva de viver. Quando chegam à quarta função, ligam-se a ela sem restrições. Jung conta o caso de um indivíduo que viveu como um respeitável homem de negócios até os 60 anos. Ele tinha uma família, um bom negócio e tudo mais. Mas ficou por alguns meses insone, agitado e infeliz. Uma noite, pulou da cama gritando: "Consegui!" Sua esposa acordou e perguntou: "O quê?" Ele respondeu: "Consegui, eu sou um ébrio! Isso é o que eu sou!" Imediatamente ele abandonou a mulher, a família e os negócios, gastou todo o seu dinheiro e bebeu até morrer. Essa foi certamente uma solução corajosa, mas muito drástica para o problema! De repente, ele caiu no lado inferior da sua personalidade e se esqueceu de tudo mais.

A quarta função é sempre o grande problema da vida; se não a vivemos, ficamos frustrados e meio mortos, e todas as coisas se tornam tediosas; se a vivemos, o seu nível é tão baixo que não a podemos usar, a menos que tenhamos a pseudocoragem desse homem. A maioria das pessoas não tem essa coragem; outras a teriam, mas percebem que isso também não é a solução. Então, o que fazer? Nesse momento, deve ser usada a receita alquímica: fazer o esforço de lidar com a quarta função, colocando-a num recipiente esférico, dando-lhe uma estrutura de fantasia. Podemos seguir, não vivendo a quarta função de uma maneira concreta, exterior ou interior, mas dando-lhe a possibilidade de expressar-se na fantasia, quer escrevendo, pintando, dançando, ou através de qualquer outra forma de imaginação ativa. Jung descobriu que a imaginação ativa era praticamente o único meio de lidar com a quarta função.

Pode-se verificar como a função inferior chega a realizar-se na escolha dos meios de imaginação ativa. Assim, por exemplo, um tipo intuitivo tem em geral um forte desejo de fixar a imaginação ativa, na argila ou na pedra, fazendo-a materialmente visível de alguma maneira. De outro modo, ela não parecerá real e a função inferior não se manifestará. Jung, um intuitivo, descobriu isso, em primeiro lugar, quando sentiu a necessidade de construir castelos de argila e pedra, e a partir dessa experiência descobriu o problema que é constelado pela quarta função. Quando o sentimento é a quarta função, pelo que tenho visto, há com frequência o uso de formas exóticas de dança. O tipo pensativo, quando tem de assimilar a sua função sentimento, às vezes sente um desejo genuíno de expressá-la pela dança de certos ritmos primitivos. O sentimento inferior pode também se expressar através de pinturas muito coloridas, a cor em geral expressando fortes disposições de sentimento. Um tipo perceptivo imaginará misteriosas histórias como as que já descrevi ou fantásticos romances selvagens nos quais a intuição pode agir. Quando se trata de escolher os meios de assimilar o problema psicológico do inconsciente pela fantasia, essa escolha está geralmente ligada com a função inferior.

Quando se alcança o estágio de lidar decisivamente com a quarta função, torna-se impossível permanecer no nível superior, mas também pode-se não querer cair no inferior. Assim, a área intermediária torna-se a única solução possível. Essa área, que não está nem no nível superior nem no inferior, é estabelecida através da fantasia sob a forma específica de imaginação ativa. Nesse momento, a pessoa, por assim dizer, transmite o seu sentimento de vida para um centro interior e as quatro funções permanecem apenas como instrumentos que podem ser usados à vontade, para serem postos para cima ou para baixo. O ego e a sua atividade consciente não estão mais identificados com nenhuma das funções. Isso é o que o texto alquímico representa com a colocação das quatro rodas sobre o carro. Há uma completa paralisação numa espécie de centro interior e as funções já não agem de forma automática. Pode-se trazê-las para cima à vontade, como, por exemplo, um avião pode baixar as rodas para aterrissar e depois suspendê-las de novo quando for voar. Nesse estágio, o problema das funções não é mais relevante: elas tornaram-se instrumentos de uma consciência que não está mais enraizada nelas nem é por elas dirigida. A consciência passa a ter a sua base de operação em outra dimensão, dimensão essa que só pode ser criada pelo mundo da imaginação. É por essa razão que Jung chama isso de função transcendente. Essa espécie correta de imaginação cria os símbolos de união. Isso coincide com o simbolismo alquímico que trata do problema dos quatro elementos: água, fogo, ar e terra. No nosso texto, eles são representados pelas rodas que têm de ser integradas. Surge então a quintessência, que não é outro elemento adicional, mas, por assim dizer, a essência dos quatro e, todavia, nenhum deles; é o quatro em um. Sucede às quatro uma quinta coisa que não é a soma das quatro, mas algo que as transcende e é formado por todas elas. Os alquimistas chamaram isso de *quintessentia*, ou pedra filosofal. Ela representa um núcleo consolidado da personalidade que não se identifica mais com nenhuma das funções. É um afastar-se, por assim dizer, da identificação com a própria consciência e com o próprio inconsciente, e uma instalação, ou tentativa de instalação, nesse plano intermediário. Daí por diante, como diz o texto, a pessoa se move sem movimento, corre sem correr (*currens sine cursu, movens sine motu*). Depois que esse estágio é alcançado, começa outra espécie de desenvolvimento. Na alquimia, assim como no desenvolvimento da personalidade, a solução para o problema das funções é o primeiro passo, mas é muitíssimo difícil atingi-lo.

(Segue-se um período de perguntas e respostas)

Pergunta: O que acontece na vida humana quando chega a essa esfera intermediária?

Dra.Von Franz. Como fica uma pessoa que retirou a sua percepção, ou a sua consciência, do ego da identificação com certas funções? Penso que o exemplo mais próximo e mais convincente estaria em algumas descrições do comportamento dos mestres zen-budistas. Costuma-se dizer que a porta da casa interior está fechada, mas o mestre tem contato com todas as pessoas, todas as situações e todas as coisas da maneira usual. Ele continua na vida de todo dia, participando dela de maneira normal. Se as pessoas vêm aprender, ele as ensina com envolvimento. Se um problema difícil lhe é apresentado, ele pode pensar sobre ele. Se o momento é de comer, comerá, se é de dormir, dormirá; ele usa a sua função sensação da maneira certa. Quando a questão é perceber outra pessoa ou uma situação num vislumbre intuitivo, ele o fará. Contudo, não estará internamente aprisionado às funções do ego que usa em cada situação particular. Terá perdido aquela espécie de ímpeto infantil para lidar com as coisas. Se você apresentar a pessoas que ainda se identificam com o próprio pensamento um problema ligado ao pensamento, elas vão direto à questão. Isso é necessário, porque, se elas não aprenderem a fazê-lo, nunca aprenderão a pensar conveniente e apropriadamente. Porém, depois da transformação, se você fizer o mesmo, elas se mantêm interiormente afastadas da questão, embora possam aplicar o seu pensamento ao problema; elas conseguem parar de pensar de um minuto para outro, podendo interromper o processo. É difícil dar exemplos, porque são muito poucas as pessoas que alcançaram esse estágio, mas há descrições muito boas sobre se estar separado das funções conscientes nesses exemplos zen-budistas.

Pergunta: Qual a diferença entre a espécie de disciplina que se pratica na análise de Jung e a do monge zen-budista?

Dra. Von Franz. Há analogias, mas eu diria que não é a mesma coisa. Acho que a nossa maneira de tentar abordar o problema da função inferior impõe a todos os indivíduos uma espécie de disciplina que tem uma analogia com a vida monástica, não apenas no Oriente mas também no Ocidente. Por exemplo, permanecer com a dificuldade por um longo período, desistir de outras ocupações a fim de ter tempo e energia para resolver esse problema, praticar uma espécie de ascetismo. Mas a vida monástica, tanto no Oriente como no Ocidente, é um assunto coletivamente organizado. Tem-se de levantar a uma certa hora, fazer um determinado trabalho, obedecer ao abade etc.; em contraste com isso, a disciplina imposta ao indivíduo no processo da individuação vem apenas do interior. Não há regras externas; portanto, a coisa é muito mais individual. Se se deixar que aconteça espontaneamente, em lugar de forçá-la de fora para dentro, através da disciplina organizada, observar-se-á que a disciplina varia de pessoa para pessoa.

Durante certo tempo analisei dois homens que eram amigos; um era do tipo pensativo introvertido e o outro, sentimental extrovertido. A disciplina do extrovertido era muito severa, pois, se ele bebesse um copo de vinho ou ficasse num jantar meia hora a mais, tinha os mais terríveis sonhos. Algumas vezes, ambos recebiam convites e o introvertido típico dizia que não tinha tempo, mas logo sonhava que deveria ir à festa. O seu amigo, por outro lado, que tinha recebido o mesmo convite, sonhava (naturalmente ele já teria resolvido com que roupa ir e qual a moça que convidaria para ir com ele) com algo lhe dizendo que não deveria ir. "Nada de festa, fique em casa." Era de fato curioso ver que a agonia do introvertido diante da ideia de ir à festa era tão grande quanto a tristeza do seu pobre amigo com a de ficar de fora! Algumas vezes, eles trocavam observações e diziam: "Não é realmente desagradável? Eu gostaria de ir, mas não posso e você detesta ir, mas seus sonhos dizem 'que vá'". Assim, o que se percebe é que há uma espécie de disciplina, mas que ela é invisível e ajustada de modo muito preciso. Essa é a vantagem da nossa maneira de lidar com o problema; obtém-se a disciplina pessoal muito apropriada, invisível para o mundo exterior, mas muito desagradável.

Pergunta: Dentre as várias alternativas apresentadas, há o atingimento da região intermediária, que parece ser extremamente raro, razão por que pouquíssimas pessoas o conseguem. Outra alternativa é a exteriorização do leão, seguida, suponho, por algum grau de doença. Há alguma alternativa intermediária?

Dra.Von Franz. Sim. Há um grande número de pessoas que de tempos em tempos vive o problema da função inferior. É o que falei sobre entrar num banho quente e então pular fora de novo. Depois disso, elas caminham relativamente bem com as suas três funções, sempre meio desconfortáveis por causa da não integração da quarta. Quando as coisas se tornam muito ruins, eles mergulham um pouco, mas, assim que se sentem melhor, saem de novo. Por princípio, elas se mantêm no seu mundo trinitário em que o quarto é o domínio que permanece numa esquina de suas vidas. As pessoas que se fixam nessa fase nunca entendem bem o que Jung quer dizer com o problema do quarto e nunca entendem completamente o que a individuação significa de fato. Elas se mantêm no mundo convencional anterior da identificação com a consciência. Muitas pessoas que até passaram pela análise junguiana não ultrapassam essas breves visitas ao quarto reino, seguidas de conversas sobre isso com as pessoas – sem tentarem de fato ficar nele, porque é infernalmente difícil consegui-lo.

Pergunta: Como a função inferior faz conexão cqm o demônio coletivo?

Dra.Von Franz. Enquanto você não entra realmente nesse estágio, resta o que chamo de demônio na esquina. Esse é apenas o demônio pessoal, a inferioridade pessoal do indivíduo, mas, com ele, vem também o demônio coletivo. A pequena porta aberta de cada função inferior do indivíduo é o que contribui para o demônio coletivo no mundo. Podemos observá-lo muito facilmente na Alemanha, quando o demônio lentamente tomou conta da situação no movimento nazista. Todos os alemães que conheci naquela época e que optaram pelo nazismo foram levados pela sua função inferior. O tipo sentimental foi apanhado pelos estúpidos argumentos da doutrina do partido; o tipo intuitivo, pela sua dependência do dinheiro, pois não podia largar o emprego nem via como poderia lidar com o problema econômico e, por isso, teve de ficar naquilo, embora não concordasse etc. A função inferior funcionou em cada reino individual como a porta por onde muitos dos demônios coletivos puderam entrar. Ora, você pode dizer que cada pessoa que não trabalhou a sua própria função inferior contribuiu para esse desastre coletivo – numa pequena dose –, mas a soma de milhões de funções inferiores constituiu um enorme demônio! A propaganda contra os judeus foi muito inteligentemente elaborada. Assim, por exemplo, os judeus foram insultados como sendo intelectuais destrutivos, o que convenceu plenamente todos os tipos sentimento – uma projeção do pensamento inferior. Eles também foram acusados de atrevidos fazedores de dinheiro, o que convenceu completamente os intuitivos, pois eles simbolizavam a sua sensação inferior e, por isso, se sabia agora onde estava o demônio. A propaganda usou as suspeitas comuns que as pessoas tinham contra as outras por causa da sua função inferior. Assim, pode-se dizer que, por trás de cada indivíduo, a quarta função não é somente uma pequena espécie de deficiência; a soma disso tudo é realmente responsável por uma tremenda quantidade de problemas.

Pergunta: Há alguma questão moral envolvida na individuação? É um problema de perfeição num sentido moral estrito?

Dra. Von Franz. O processo de individuação é um problema ético e a pessoa sem moralidade ficaria emperrada no começo. Mas a palavra "perfeição" não é apropriada. Esta pertence a um ideal cristão que não coincide inteiramente com a nossa experiência do processo da individuação. Jung diz que esse processo parece tender, não à perfeição, mas à plenitude. Penso que isso significa que não se pode trazer a coisa ao nível superior (do diagrama); *você* tem de *descer*, o que significa um abaixamento relativo do nível da personalidade. Se se estiver no meio, um lado não será tão negro nem o outro tão claro, havendo uma tendência maior a constituir uma espécie de plenitude, o que não é tão brilhante nem tão sombrio. Mas é preciso sacrificar uma certa quantidade de esforço por perfeição moral, a fim de evitar a irrupção de uma contraposição muito sombria. É ético, mas não idealista. É preciso abandonar a ilusão de que se pode produzir alguma coisa perfeita no plano humano.

Pergunta: A sra. diria que a propaganda é especificamente um campo para a função inferior?

Dra.Von Franz. Sim, se for o tipo de propaganda feita com o objetivo de produzir emoção. Aquele que pratica esse tipo baixo de propaganda sabe que não é através da conversa razoável que se atinge as massas, mas estimulando a emoção. Esta pode ser estimulada em todos ao mesmo tempo se você despertar a função inferior, porque, como eu disse antes, essa função é emocional. Por isso, se falar a intelectuais, você deve despertar sentimentos primitivos. Se falar a professores universitários, você não deve usar linguagem científica, porque nesse campo a mente deles é clara e eles perceberão todas as armadilhas nas suas conversas. Se se deseja que uma mentira seja aceita, deve-se substanciá-la com muito sentimento e emoção. Como, na média, os professores universitários têm sentimento inferior, eles cairão nisso de imediato. Hitler conhecia a arte de fazer isso. Seus discursos mostram que ele falava de maneira diferente a grupos diferentes e que sabia muito bem como acordar a função inferior. Uma pessoa que assistiu a vários de seus discursos contou que ele agia assim usando a sua intuição, sentindo qual o caminho a seguir em cada situação. Às vezes, Hitler mostrava-se muito inseguro. Ele experimentava os temas como um pianista, mencionando um pouco disto e um pouco daquilo. Ficava pálido e nervoso e seus homens da S.S. se preocupavam, porque o Führer não parecia estar em forma. Mas ele estava apenas sentindo o terreno. Percebia que, se trouxesse à tona um determinado assunto, estimularia a emoção; então ia direto ao referido assunto. Isso é demagogia! Quando sentia o lado inferior, ele percebia os complexos e partia à sua procura. Deve-se argumentar de maneira primitiva, emocional, que é o modo pelo qual a função inferior argumenta. Hitler não pensava nessas coisas no plano da lógica. O fato de ser apanhado pela sua própria inferioridade é o que lhe dava esse talento.

Perguntaram-me se a emoção e o sentimento estão ligados? A resposta é que essa ligação só ocorre num caso de sentimento inferior. A emoção e o sentimento estão ligados num tipo pensamento. Penso nas diferenças nacionais entre franceses e alemães. A língua alemã tem muitas palavras para sentimento que se confundem com emoção, ao passo que a palavra francesa para sentimento – *sentiment* – não traduz nada de emoção, nem sombra disso. Em geral, o francês, como nação, tem sentimento mais diferenciado, o que para ele não é emocional. É por isso que os franceses fazem sempre brincadeiras sobre os sentimentos alemães. Eles dizem: "Oh, os alemães com os seus sentimentos pesados: cerveja, canto e *Oh Heimatland*, todas essas coisas sentimentais". Um francês tem *sentiment*, uma coisa transparente, sem rodeios. Esse é o exemplo de um tipo sentimental censurando o sentimento inferior de uma nação cuja superioridade não está no sentimento. Os alemães pensam muito melhor, mas o seu sentimento é bem primitivo, quente, cheio da atmosfera do estábulo, mas também cheio de explosivos!

Pergunta: A sra. poderia equiparar a função transcendente com *gestaltend?*

Dra. Von Franz. A função transcendente é diferente do que geralmente se usa em *gestalten* ou quando se permite que as pessoas fantasiem livremente. Há aqui uma fantasia com a consciência do ego mantendo o seu ponto de vista. Essa atividade é conduzida pelo impulso de individuação. Quando esse impulso ainda é inconsciente, é simplesmente aquele elemento de constante insatisfação e inquietação que importuna as pessoas até que elas atingem um nível cada vez mais alto na vida. O *principium individuationis* é naturalmente essa função transcendente, mas, na psicologia de Jung, o indivíduo não se contenta em deixar que isso apenas o toque até dar o próximo passo; ele se volta diretamente para o assunto e tenta dar-lhe uma forma expressando-o através da imaginação ativa. E isso, de certa forma, leva a uma evolução que transcende o problema das quatro funções; aí então a constante batalha entre as quatro funções se acalma.

Pergunta: Esse estágio é então uma condição permanente de imaginação ativa?

Dra.Von Franz. Sim, esse é o plano no qual a imaginação ativa assume o controle. Você fica na posição intermediária, no núcleo interior da consciência. Já não se identifica com o que acontece nos níveis superior e inferior. Você permanece no interior da sua imaginação ativa, por assim dizer, e tem a sensação de que é nele que o processo da sua vida acontece. Por exemplo, num nível você percebe muito frequentemente que estão acontecendo eventos sincronísticos e, no outro, estão os sonhos, *mas você mantém a sua consciência voltada para os eventos que acontecem na região intermediária, eventos que se desenvolvem em sua imaginação ativa.* Isso se torna a função com a qual você se move pela vida. Os outros planos ainda existem para você, mas você não os tem como centro. O centro de gravidade desloca-se do ego e de suas funções para uma posição média a fim de esperar as indicações do Si-mesmo. Um texto chinês que descreve esse processo diz que, nessa situação, a consciência está numa posição semelhante à de um gato observando um buraco de rato – meio relaxada, meio ativa. Se estiver muito ativo, o gato terá câimbras e perderá o rato; se estiver muito relaxado, o rato correrá para fora e ele o perderá. Essa espécie de atenção consciente (semiadormecida) está voltada para o processo interior.

Pergunta: O Dr. Jung aplicou essa teoria das funções às suas ideias sobre Trindade e Quaternidade nos seus estudos sobre religião?

Dra.Von Franz. De forma sucinta, eu diria que sim. Isto é, o problema do terceiro e do quarto no simbolismo religioso está ligado ao problema das quatro funções. Da mesma maneira que o modelo arquetípico se liga ao caso particular. Com referência ao desenho que lhes dei na minha primeira conferência, a constelação arquetípica estaria na base da psique; essa é a tendência estrutural de desenvolver quatro funções. Encontra-se esse arquétipo em mitologias de quatro pessoas, nas quatro direções da bússola, nas quatro direções dos ventos, nos quatro ângulos, nos quatro cantos do mundo. Está contida também no simbolismo cristão. Por exemplo, há quatro evangelistas, dos quais três são animais e um é um ser humano. Há também os quatro filhos de Horo, três dos quais têm cabeça de animal e um tem cabeça humana. Essas são manifestações de um arquétipo estrutural básico da psique humana; mostram a disposição que, quando o ser humano tenta fazer um modelo de uma existência total – um modelo do mundo cósmico total ou da vida humana total –, leva-o a utilizar um modelo quádruplo. A escolha naturalmente recai mais sobre um modelo quádruplo do que sobre qualquer outro. Na China, ele é encontrado em todo lugar. As mandalas quádruplas sempre surgem de um impulso de fazer um modelo da existência total, quando as pessoas não querem lidar com um único fato, mas com um mapeamento dos fenômenos gerais. Seria, portanto, uma disposição estrutural inata inerente à psique humana o uso desses modelos quádruplos para representar totalidades.

O problema das quatro funções na consciência de um indivíduo seria um produto secundário desse modelo mais básico. Não é aconselhável projetar os fatores da estrutura inconsciente no campo da consciência ou usar os fatores das funções conscientes para explicar a estrutura arquetípica. O problema das quatro funções na consciência de um indivíduo é *uma* das manifestações dessas disposições arquetípicas mais gerais. Se, por exemplo, se tentar explicar o modelo das quatro montanhas nas quatro direções do mundo na China, ou os quatro ventos nos quatro cantos do mundo, dizendo que um deve ser pensamento e o outro *deve* ser outra função, nunca se chegará a lugar algum. Simplesmente não soa bem! O arquétipo do *quaternio* como um modelo da situação total é mais geral do que as quatro funções. Seria, portanto, errôneo reduzir o dogma da Trindade e o problema da quarta pessoa da Trindade – a Virgem Maria ou o demônio – ao problema das funções. É melhor fazer o contrário: é um problema arquetípico geral, mas, no indivíduo, assume a forma das quatro funções. Por exemplo, na religião cristã, o demônio é o símbolo do *mal* absoluto na divindade, mas seria muita presunção conceder ao seu pensamento inferior ou ao seu sentimento inferior a grande honra de chamá-lo o demônio em pessoa! Isso seria antes uma explicação inflada das próprias inferioridades! Da mesma forma, não se pode dizer que as três funções relativamente desenvolvidas sejam idênticas à Trindade! Assim que se diz isso de maneira tão abrupta, verifica-se quão ridícula é a ideia. Entretanto, *pode-se* dizer que há uma ligação, já que o mal, o negativismo e a destrutividade realmente se ligam à função inferior no indivíduo.

Posso dar-lhes um exemplo de como essa ligação opera. Uma pessoa intuitiva tinha de me enviar uma carta com notícias bem agradáveis para mim, mas ela estava enciumada e extraviou a carta. Foi a sua função inferior que a levou a extraviar a carta ou terá sido a sua intrigante sombra ciumenta? Ambas! A intrigante sombra ciumenta a pegou através da função inferior. Não se consegue nunca fazer tal pessoa definir suas intenções; pode-se apenas dizer: "Oh, é a sua sensação inferior, não mencionemos mais isso". Mas é bastante típico que a sombra, o impulso negativo, entre sorrateiramente na função inferior. Lembro-me do caso de um homem do tipo sentimento que ficou terrivelmente ciumento porque uma mulher na qual estava interessado tinha uma grande transferência com Jung. Assim, esse homem se sentiu desprezado por ela. Ela simplesmente não olhava para ele, o que lhe cortava o coração. Ele não conseguiu aguentar isso por muito tempo. Finalmente, escreveu um livro contra a psicologia junguiana, cheio de erros e citações equivocadas, no qual propunha uma "nova filosofia melhor". Pode-se então observar que no nível do sentimento – sua função superior – esse homem não conseguiu fazer algo tão perverso; ele não seria capaz de atacar Jung diretamente como pessoa, pois o seu sentimento era muito diferenciado. Ele viu claramente que Jung, que não podia impedir essa transferência da mulher, não tinha nada a ver com a situação. Portanto, o seu sentimento permaneceu decente. Mas o seu pensamento inferior apanhou a motivação – que era um amargo ciúme e nada mais – e produziu a mais espantosa coletânea de coisas imprestáveis. Ele nem ao menos foi capaz de copiar as citações adequadamente, pois estava cego e tomado por um impulso da sombra. Impulsos da sombra, impulsos destrutivos, ciúme, ódio etc., geralmente atingem um indivíduo através da função inferior, pois esse é o ponto fraco; é onde não temos controle sobre nós mesmos, não estamos constantemente conscientes das operações das nossas ações. Nessa região, portanto, quaisquer tendências destrutivas ou negativas atacam, sendo possível dizer que nesse ponto o demônio tem relação com a quarta função, pois ele pega as pessoas através dela. Se se usar a linguagem medieval, pode-se dizer que o demônio quer destruir as pessoas e sempre tentará dominá-las através de sua função inferior. A quarta porta do seu quarto é o ponto por onde os anjos podem entrar; mas os demônios também podem!

2ª Parte

A FUNÇÃO SENTIMENTO

JAMES HILLMAN

AGRADECIMENTOS

Os capítulos seguintes resultam de palestras proferidas nos anos de 1962 e 1963 em Londres, Boston e Houston, sobre "O Sentimento", e, no C. G. Jung Institute de Zurique, no verão de 1966, sobre "A Função Sentimento". Eu as revisei para esta publicação. Eleanor Mattem gravou as palestras e datilografou o original em que se baseia a revisão. Margit van Leight Frank leu todo o primeiro original datilografado e fez algumas sugestões proveitosas. Murray Stein e Valerie Donleavy revisaram e prepararam o texto.

James Hillman
Outubro de 1970

Capítulo I

INTRODUÇÃO HISTÓRICA

Uma função é algo que realiza, opera, age. É um processo que ocorre ao longo de um certo período de tempo. A palavra "função" deriva de *fungi*, *fungor*, realizar, referindo-se sua raiz sânscrita (*bhunj*) a "apreciar". Apreciar se associa ainda com a palavra latina *functus*. O exercício e a realização de uma função é algo a ser apreciado, como atividade agradável ou saudável, como a operação das capacidades pessoais em qualquer esfera de ação.

O uso que Jung faz dos termos "órgão" e "função" se aproxima do da fisiologia. Um órgão realiza a função que lhe é específica. Mas Jung também insiste que uma função precede o seu órgão ou, como disse Aristóteles na sua *Ética*, tornamo-nos bons ao fazer o bem; desenvolvemos uma estrutura característica mediante a realização habitual de alguma coisa. Menciono essa concepção de função para que, à medida que avançarmos, possamos ter em mente um padrão relativamente unificado, consistente e habitual de realização que aprecia a si mesmo em sua atividade, um padrão que gosta de ser exercitado.

Como podem ser concebidas desse ponto de vista do desenvolvimento, as funções são apropriadamente consideradas, na psicologia de Jung, como funções da consciência. Pertencem ao desenvolvimento da personalidade consciente, fazendo parte do ego, da sua consistência, de seus hábitos, da sua unidade e memória, da sua maneira característica de atuar. As funções compõem a *intencionalidade* da consciência, revelando como esta opera com respeito a si mesma e às outras pessoas, como ela impõe suas intenções e sentidos e exprime seu caráter.

Por conseguinte, as funções são fenômenos que surgem depois dos complexos no curso do desenvolvimento do indivíduo. Os complexos também funcionam e têm reações e hábitos – apertar o mesmo botão, obter a mesma resposta etc. Contudo, as funções são classicamente concebidas, no pensamento junguiano, como aspectos do complexo do *ego*, mesmo que o pensamento ou o sentimento possam ser associados com a *anima* ou com o *animus*, com a sombra, com o complexo materno etc. Mesmo a função inferior, que pode alcançar as profundezas da alma inconsciente arcaica, continua a ser concebida, do ponto de vista da consciência do ego, como uma função potencial do ego. Isso não se aplica por certo aos complexos nem aos seus núcleos arquetípicos. Estes jamais são concebidos como operações do ego. Os complexos formam o substrato teórico da psique, podendo, na verdade, dominar as quatro funções psicológicas. Por exemplo, a função sentimento de um indivíduo pode ser altamente determinada pelo complexo materno, de modo que todas as suas respostas, valores e julgamentos vinculados com o sentimento reflitam ou contrariem a mãe pessoal desse indivíduo. Alternativamente, as intenções de uma pessoa podem ser dominadas pela mãe dessa pessoa, ficando dirigidas para as coisas sórdidas ou levando tudo aquilo que a pessoa cheira, come, percebe e toca a provocar uma excitação erótico-sexual.

As funções como modos de operar também diferem dos conteúdos. Podemos ter sentimentos, pensamentos, percepções – mas somente uma organização consciente pode operar com eles. Um pensamento pode surgir por meio da mente, mas isso não é pensar; pode-se ficar o dia inteiro dominado por maus sentimentos, mas isso não é sentir.

Concebamos essas funções como quatro maneiras de organizar e sofrer a vida. Sigamos Jung um pouco mais ao supor que essas quatro maneiras têm um caráter básico para a psique e que não há senão essas quatro. Nesse caso, elas surgiriam arquetipicamente junto com a estrutura psíquica necessária e suficiente. Aqui, Jung parece estar repetindo de outro modo uma antiga metáfora da raiz quádrupla. Essa ideia foi apresentada muitas vezes como princípio essencial para a compreensão da natureza humana. Dizia-se ser o homem composto de quatro elementos básicos (terra, ar, água e fogo), de quatro temperamentos e estados de humor (melancólico, colérico, sanguíneo e fleumático). Tentativas de equiparar as funções a esses princípios mais antigos – o sentimento com a água ou com a fleuma – não funcionam bem, pois cada época tem seus códigos apropriados de expressão dessa metáfora arquetípica, constituindo as traduções desses códigos uma violação do contexto do símbolo. Também não devemos elaborar a metáfora, tornando-a um sistema metapsicológico que abarque tudo e admita a adaptação de toda espécie de imagens, *e.g.*, o sentimento é representado pelos matizes do vermelho e pelo tórax, ou por uma das estações do ano, por um dos pontos cardeais, pelas horas ou pelos evangelistas etc. O quatro é um símbolo necessário para se obter uma ideia completa da psique, mas cada conjunto de quatro elementos é distinto e não intercambiável.

A história cultural mostra ter havido momentos de elevado apreço pelos sentimentos na Grécia e em Roma, embora os historiadores da cultura costumem apontar para a escravidão, a crueldade e a opressão com relação aos estrangeiros e às mulheres na civilização antiga – com o fito de tornar aceitável a mensagem de que o cristianismo introduziu novos e mais elevados padrões de sentir. Contudo, o pensamento grego e romano revela preocupação com assuntos referentes ao sentimento, seja na condução da vida e da cidade e em questões de relacionamento humano, ou na estética. Seu diferenciado panteão de figuras divinas oferecia sobretudo um fundamento arquetípico a muitas formas de expressão do sentimento. Como eram muitos os deuses, a relação desses povos com eles não podia ser resumida num único ritual ou por meio de um credo único. O politeísmo fornecia à multiplicidade de complexos existentes na psique uma base para a descoberta de valores e para a vinculação destes com inúmeros aspectos da vida – o que nós hoje condenamos, com a nossa visão mais estreita, como perverso, antirreligioso, obsceno e desumano. Bastava apreciar os sentimentos que cada Deus reivindicava para si e encontrar maneiras de se relacionar com esse fundamento arquetípico da existência, ao passo que, na religião com base em escrituras, que dispõe de um código, de um catecismo, de um credo, muitos problemas do sentimento são tratados sem reflexão.

Mais tarde, no final da Idade Média, por exemplo, sabia-se muito acerca do amor cortês e místico. A doutrina católica e a vida monástica encorajavam a autorreflexão profunda sobre a vida dos sentimentos; mas, por infelicidade, quase sempre no contexto da bondade e do pecado. Então, na Renascença, outros aspectos do sentimento passaram para o primeiro plano. A expressão das paixões e emoções ocorria por meio de pinturas e esculturas, sendo a análise do sentimento um tema dominante na literatura. O amor foi o assunto predileto ao longo dos séculos XV a XVII e, ao tempo em que as belas-artes, a música e a literatura desenvolveram as formas com que hoje estamos familiarizados, houve uma diferenciação do sentimento que enquadrou essa função nas formas aceitas que atualmente consideramos corretas em termos éticos, agradáveis do ponto de vista estético e decentes da perspectiva política. Em outras palavras, nossa noção de "bom sentimento" no gosto ou na conduta ou do "sentimento religioso" profundo é, num alto grau, resultado de um processo histórico.

No decorrer do século XVIII, romancistas e poetas deram início à elaboração de sutis e exaustivas descrições de estados de sentimento e, no período romântico que cedo surgiria, apareceram afirmações como "o sentimento é tudo" e "beleza é verdade". Hoje há pouca ênfase dessa espécie tanto na filosofia como na psicologia; na literatura, por sua vez, volta-se mais para as paixões grosseiras, num estilo mais limitado, ou para a apática ausência de sentimento, numa arte da despersonalização. A psicoterapia e uma certa nova teologia parecem ser as áreas em que o sentimento tem hoje um lugar teórico, sendo até cultuado como o alvo da vida.

Para o histórico da função sentimento *como conceito*, devemos recorrer aos filósofos. A base da psicologia é a filosofia; esses dois campos só recentemente se separaram. Platão, Aristóteles, os escolásticos, Descartes, Spinoza, Hume, Kant – todos eles se ocupam da vida afetiva e fazem dela parte importante da sua filosofia. De fato, a antiga tradição humanista preocupa-se com a compreensão do sentimento e a moderna divisão acadêmica entre ciência e humanidades gira principalmente em torno da função sentimento, que não seria adequada à ciência tal como esta hoje se define. A psicologia acadêmica e clínica, em sua ânsia de "cientificidade" e "objetividade", corre o risco de perder a conexão com o sentimento humano – ao desdenhar suas raízes filosóficas e teológicas. A psicopatologia da enfermidade, assim como a abordagem médica ou científica do trabalho clínico, só constituem a base da psicologia clínica de maneira secundária. Para compreendermos o sentimento, temos de começar bem antes das descrições de suas vicissitudes peculiares por parte da psiquiatria moderna; temos de partir do humanismo dos filósofos e ensaístas da moral, dos romancistas e dramaturgos, dos teólogos e místicos, e não dos psicólogos contemporâneos.

O conceito de sentimento como faculdade distinta da psique surge no pensamento moderno no contexto da psicologia das faculdades humanas, no século XVIII. Na época, dividia-se a psique em três faculdades: pensamento, vontade e sentimento. Talvez os historiadores das ideias um dia nos revelem mais acerca do nascimento do sentimento no século XVIII, pois o sentimento fazia parte da atmosfera da época: o pietismo introspectivo, Rousseau, os romances sentimentais e a palavra "sentimental", a cultura e os modos das cortes, cidades, *salons* e cafés, o refinamento da linguagem escrita e o interesse pelas inflexões e sotaques, o desenvolvimento da música, as origens do Romantismo, o entusiasmo dos revolucionários políticos e dos reformadores religiosos. Nesse mesmo período, o conceito de sentimento como faculdade distinta da psique entra no domínio da psicologia como um igual numa trindade formada por pensamento, vontade e sentimento, uma divisão tripartite que ainda forma a base dos cursos universitários de psicologia no continente europeu. O termo *sentimento*, como descrição de uma faculdade distinta, foi introduzido por Moses Mendelssohn em 1766. Já em 1755, ele escrevera: "*Wir fühlen nicht mehr sobald wir denken*" ("Já não sentimos assim que pensamos") – (*Philosophischen Schriften*, I, 9). Veremos na descrição da função sentimento, feita por Jung, uma afirmação, em sua essência, idêntica a essa.

Os *sentimentos* como designação das emoções, simpatias e suscetibilidades surge no inglês em 1771. Nessa época, os sentimentos tinham extraordinária importância, mais ou menos como hoje. Todos denominavam sentimentos os seus estados d'alma. Novas palavras se apropriaram por antecipação da função sentimento. "*Interesting* [interessante], *bored* [entediado] se incorporaram à língua, a primeira através de *Sentimental Journey*, de Steme, em 1768. Outras contribuições oitocentistas ao vocabulário do sentimento são *ennui* [tédio], *chagrin* [dissabor], *home-sickness* [saudade], *diffidence* [acanhamento], *apathy* [apatia], ao passo que as palavras mais antigas *excitement* [excitação], *agitation* [agitação], *constraint* [restrição], *embarrassment* [embaraço] e *disappointment* [decepção] passam a ser aplicadas a experiências interiores" (L. P. Smith, *The English Language*, Londres, s/d.). Como assinala Pearsall Smith, não é que, antes do século XVIII, as pessoas não tivessem saudade ou apatia, fossem desprovidas de sentimentos, emoções e sensibilidade; mas foi nessa época da história psicológica que a consciência começou a refletir acerca do sentimento como tal. É também nesse momento, final do século XVIII, que se escrevem os primeiros manuais em que a palavra "psicologia" é parte do título. A diferença entre o vocabulário mais antigo do sentimento e o do período moderno (do qual nasceu a psicologia) consiste na transferência das descrições dos sentimentos dos eventos exteriores (caracterizados como "daninhos", "sinistros", "benignos") para os interiores. Quando dizemos que um evento é "divertido" ou "interessante", em nossos dias, em geral fazemos referência a sentimentos que surgem dentro de nós. (Veja-se O. Barfield, *History of English Words*, Londres, 1953.) As origens da moderna psicologia acadêmica têm estreitos vínculos com a introspecção e com a passagem do sentimento do mundo exterior para o interior. Nos últimos cinquenta anos a psicologia da *gestalt* vem tentando colocar os sentimentos "para fora" outra vez – como qualidades objetivas da paisagem que vêm do "sentir" as linhas, cores e formas.

A distinção da experiência afetiva, bem como as tentativas de organizá-la e classificá-la, em especial por meio do método introspectivo, é uma grande contribuição da psicologia alemã e, em menor grau, da francesa e da anglo-escocesa. A divisão tripartite sugerida por Mendelssohn ganhou força na sua elaboração por Tetens e, mais tarde, por Kant – em sua *Anthropology*. Tendo sido apresentada por Kant, tornou-se oficial e ortodoxa, destinada a durar séculos. Esse terceiro componente incluía toda espécie de fatores afetivos – emoção, sensação, prazer, dor, sensação do bem, valores morais e estéticos, sensibilidade, paixões –, tudo o que não pertencesse ao pensamento ou à vontade.

Por infelicidade, essa divisão foi absorvida por um modelo mais antigo, ainda adormecido na psique: a divisão tripartite contida na *República* de Platão. Se bem que talvez se possa dizer que um modelo trinitário de descrição hierárquica da consciência seja um arquétipo ocidental que aparece, sob formas distintas, em diferentes séculos. A influência da divisão platônica (Cabeça e Ouro, Coração e Prata, Fígado e Bronze) foi marcadamente negativa para a faculdade do sentimento. A afetividade tomou-se a mais baixa, tendo seus contornos borrados e o seu domínio confundido com o das paixões sombrias e dos estratos mais inferiores do sexo, do pecado, do irracional, do feminino e do materialismo. O sentimento, que não equivale à paixão e à emoção, pode se tornar – e realmente se torna – passional e emotivo, graças à repressão coletiva e à consequente falta de diferenciação.

A repressão coletiva do lado afetivo da psique em nossa história, ao lado do retorno do reprimido – que hoje exibe bandeiras do "sentimento" na Igreja, nas escolas, nos grupos, na publicidade, em toda parte –, deixou-nos com uma sensação de perda. A perda é a principal característica do sentimento hoje; estamos perdidos, sem saber como sentir, onde sentir, por que sentir e até mesmo se sentimos. Há perda do estilo e da forma individuais de sentir, como se tivesse havido o bloqueio de uma dada capacidade. Restou-nos aquilo que T. S. Eliot chama, em *Four Quartets*, "*The general mess of imprecision of feeling/Undisciplined squads of emotion*" ["a confusão geral dos sentimentos imprecisos,/Pelotões indisciplinados de emoção"], razão por que a nossa tarefa também pode ser descrita por outro trecho da mesma obra de Eliot:

> *Only the fight to recover what has been lost*
> *And found and lost again and again: and now under conditions*
> *That seem unpropitious.*

> [Apenas lutar por recuperar o que perdemos/
> E de novo encontramos e perdemos vezes sem conta:
> e, agora, em condições/Que parecem desfavoráveis.]

O sentimento constitui a tal ponto o problema do nosso tempo, que poderíamos afirmar, ilogicamente, que todo o campo da psicoterapia é produto de inadequações da função sentimento. Nosso problema pessoal em termos de sentimento é em parte o resultado coletivo de séculos de repressão, que de modo algum foi encerrada pelos confusos entusiasmos do século XVIII, nem pelos deleites pornográficos da metade do século XX. Nossos problemas de sentimento são problemas coletivos e temos necessidade de novas fantasias para ele. Não basta lidar com eles apenas de maneira direta, com uma nova doutrina do sentimento e uma revolução feita em seu nome. As senhas da nossa época são *vincular-se, relacionar-se, ser humano, ser sincero, sentir.* Mas como fazê-lo? E o que significam esses lemas?

Com algumas notáveis exceções, os psicólogos acadêmicos têm preferido deixar o sentimento de lado e justificam o seu desdém argumentando não ser possível analisá-lo. Dizem (principalmente as escolas alemãs, que continuam a escrever a seu respeito, apesar das alegações que fazem) que o sentimento é um fluxo que não se pode interromper e observar. Mesmo a elaboração de perguntas, o primeiro passo em qualquer investigação, faz o sentimento parar. Eles chamam a atenção para a vida cotidiana, na qual a pergunta "Que sentimento isso nos traz?" receberia uma resposta verbal que por si é já diferente do fenômeno do sentimento. A aplicação do intelecto analítico ao sentimento destrói o próprio objeto sob exame, que se dissolve diante dos nossos olhos. Por conseguinte – prossegue o raciocínio –, é melhor deixar o sentimento na obscuridade, como força subterrânea, para ser antes sentido do que formulado.

Como há poucas evidências objetivas a considerar, o estudo do sentimento parece um assunto sobremodo pessoal. Os psicólogos o sabem e, por três vezes neste século, foram realizados simpósios extraordinários acerca dos Sentimentos e das Emoções. O primeiro, o Simpósio de Vitemberg, realizou-se em 1927, contando com a participação de muitos psicólogos ilustres – Alfred Adler, Bekhterev, Janet, Pieron, Brett –, que apresentaram sua própria concepção a esse respeito. Em 1948, houve mais um simpósio sobre esses temas, organizado por intermédio da Universidade de Chicago. Margaret Mead, Cari Rogers, David Katz, Gesell, French, Buytendijk, Gardner Murphy e vários outros profissionais apresentaram suas teorias sobre os sentimentos e as emoções, bem como pesquisas que cobriam todos os campos possíveis. Passaram-se vinte anos e ocorreu mais um desses simpósios, desta feita em Loiola, no outono de 1968. Ele inclui uma sinopse, bem como as implicações, das concepções de Jung – apresentada por mim. Para quem deseja fazer uma análise mais acadêmica desse campo, os três volumes correspondentes a esses simpósios são essenciais.

Mas o estudo do sentimento nos leva para fora dos limites da psicologia, alcançando a história social, a biografia, a vida familiar e as amizades, a literatura, a poesia, a política e a diplomacia – todas elas campos que costumam deixar os psicólogos nervosos. Há anos venho colecionando os livros acadêmicos desse campo – minha forma indireta de chegar ao sentimento – e posso garantir que há pouca fantasia neles e que a sua leitura é demasiado enfadonha.

Jung nos deu um indício relativo ao sentimento que nada tem de enfadonho, visto que pertence à nossa vida psíquica concreta e à sua base, os complexos. Se definirmos estes últimos como grupos de ideias emocionalmente carregadas, concluiremos que um dos componentes de todo complexo é o sentimento; e uma maneira de penetrar nos complexos são os sentimentos que o compõem. Podemos descobrir o complexo por meio de imagens oníricas, sensações e lembranças, projeções, através das ideias e de sua análise – mas também via sentimentos. A abordagem através do sentimento também se aplica aos sonhos, expressão dos complexos. A seleção e avaliação de valores oníricos, assim como os sentimentos manifestos nos sonhos, são modos de elaboração dos complexos; o sentimento é a *via regia* para o inconsciente, não apenas na nossa vida pessoal, como também no plano dos dominantes arquetípicos mais amplos que nos fazem suas reivindicações impessoais por meio dos sentimentos. Isso implica que nossos sentimentos, na superfície tão estritamente íntimos e propriedade pessoal "nossa", também apresentam seu aspecto arquetípico impessoal, merecendo ser reconhecidos nesse nível.

Volto a insistir: os sentimentos não são apenas pessoais; refletem fenômenos de cunho histórico e universal; são comuns e coletivos. Uma necessidade que parece muito pessoai pode exprimir a necessidade comum aos nossos conhecidos, à família como grupo, a um setor da sociedade e até à nossa época. Nossos sentimentos não são apenas "nossos". Partilhamos deles, como ocorre nos sentimentos religiosos e de nacionalidade. Nesse sentido, não são apenas algo que está "em" nós, mas algo "em que" estamos, podendo a função sentimento nos ajudar a lidar com ele. A crença de que os sentimentos são "meus" – pessoais e indicativos daquilo que sou, da posição que ocupo e do que quero – é em grande parte uma ilusão do ego que sente. Da mesma maneira como as sensações do paladar e do olfato variam pouco de pessoa para pessoa, e assim como os pensamentos na mente e os processos de pensamento variam pouco entre os membros da coletividade, os sentimentos têm poucas variações. A diferenciação do sentimento individualizado num estilo original é tão rara quanto a originalidade em qualquer função. Como os terapeutas por vezes negligenciam a coletividade impessoal dos sentimentos, os analisandos são levados a pensar que, se ao menos pudessem exprimir seus sentimentos de modo pleno, poderiam encontrar a honestidade e se equilibrar. A função sentimento é o instrumento com o qual separamos o genuíno do espúrio – o que não é tarefa fácil e talvez nem seja possível. De qualquer maneira, não devemos sobrecarregar essa função com todo o peso da autodescoberta e esperar que o sentimento, e apenas ele, nos torne pessoas autênticas e genuínas.

Há outros caminhos para as profundezas além do sentimento "profundo". Diante da recente supervalorização do sentimento, as pessoas passaram a considerá-lo a panaceia da terapia. Mas vou agir de maneira diversa: farei, não uma terapia através do sentimento, mas uma terapia do sentimento, uma tentativa de tornar conhecidos os modos de funcionamento do sentimento.

Em termos ideais, deveríamos ter um tipo sentimental que apreciasse contar-lhes como funciona. Mas em geral essa espécie de palestra não atrai a fantasia de um tipo sentimental. Como não tem problemas com o sentimento, ele não tem grandes fantasias a esse respeito. De minha parte, se tivesse de me alongar acerca da natureza do tipo pensamento intuitivo, que em mim é automático e independente de reflexão, eu me veria na mesma situação.

Assim sendo, deixo clara, desde o início, a premissa pessoal. Aprender por meio de palestras sempre é uma espécie de distorção. Apenas determinados tipos de pessoas têm o dom da palavra, razão por que com elas aprendemos coisas como se estas fossem filtradas por aquela espécie de consciência das palavras de que elas são dotadas. Mas aprender acerca do sentimento não é algo que ocorra primariamente através de leituras e palestras, ou mesmo de palavras, o que torna os capítulos seguintes, sob muitos aspectos, paradoxais: eu não sou a pessoa certa para ensiná-lo; essa não é a melhor maneira de aprendê-lo; o próprio assunto talvez esteja além dessa espécie de formulação. Ainda assim, sinto que vale a pena tentar.

Capítulo II

DESCRIÇÕES E DISTINÇÕES JUNGUIANAS

Jung tem a seu favor o fato de ter feito muito para ressuscitar o sentimento, bem como para livrá-lo dos preconceitos coletivos. Nem Bleuler nem Freud, os dois mestres da psicologia com quem Jung teve vínculos mais estreitos, distinguiram claramente o sentimento da emoção, da paixão, da afetividade. Na moderna literatura psiquiátrica e psicanalítica, a função sentimento ainda se acha contida na categoria geral da afetividade, ao passo que Jung a diferenciou como função da consciência no mesmo nível do pensamento, da sensação e da intuição já em 1921, em seu *Psychological Types*.

Ao diferenciar conceitualmente o sentimento, considerando-o uma função da consciência, Jung deu uma grande contribuição à história ou ao conceito de sentimento. Esse feito costuma ser subestimado nas avaliações do trabalho de Jung no campo da tipologia, o que leva a muitas discussões desnecessárias. É crucial para a compreensão da psicologia junguiana a participação do sentimento. Jung não pode ser lido apenas intelectualmente. Na psicologia junguiana, a compreensão consciente também significa compreensão sentimental. Todos os símbolos conceituais mais importantes (*e.g.*, introversão, sombra, arquétipo, *self*, sincronicidade) são também experiências de sentimento.

Podemos definir o complexo, de modo mais simples, como um grupo de ideias emocionalmente carregadas; o símbolo é reconhecido tanto pelo seu efeito sobre o sentimento como pela sua impressão sensorial, seu significado intuitivo e seu conteúdo ideacional. Mesmo o alvo geral da análise junguiana – o relacionamento cooperativo entre a consciência do ego e os dominantes inconscientes – é, enquanto relacionamento, essencialmente função do sentimento. Ao contrário do que muitas vezes se supõe, a terapia junguiana não tem como ponto principal o *autoconhecimento*. A autorrealização é um processo de percepção do sentimento, de percepção daquilo que sentimos, de sentir aquilo que somos; e esse processo começa com a primeira sessão terapêutica, à qual a pessoa em geral vai devido à perturbação dos seus sentimentos e que se inicia com frequência pela pergunta: "Como você se sente?"

O pressuposto do sentimento também teve seus efeitos sobre os desenvolvimentos ulteriores da obra de Jung, em especial sobre o conceito de *anima* e sobre suas explorações em muitas dimensões do polo "feminino" da psique. O reconhecimento do sentimento também se manifestou em sua forma bem livre e aberta de fazer terapia sem a carga da rigidez técnica concebida pelo intelecto. Por conseguinte, sua psicologia cedo agradou a mulheres e artistas; com a mesma rapidez, foi rejeitada – com notáveis exceções – nos ambientes em que se desvaloriza o sentimento: a medicina e a psicologia científicas contemporâneas e o meio acadêmico.

Jung descobriu o papel do sentimento em termos empíricos; suas primeiras descrições derivam de seus experimentos de associação, nos quais deparou com reações afetivas puras ("sim", "ruim", "gosta" etc.) a estímulos verbais, em vez de associações num sentido mais estrito. Já em suas primeiras obras, na primeira década do século, podemos discernir dois aspectos do conceito de sentimento: de um lado, o sentimento como uma *função* que "gosta", faz relações, emite julgamentos, conecta, nega, avalia; de outro, os sentimentos como *conteúdos* (esperanças, anseios, raivas) que agem no experimento de associação como fatores que facilitam ou perturbam associações. Em suas tentativas iniciais (1913, 1916-17) de desenvolvimento da teoria dos tipos e do conceito de funções, Jung não diferencia a introversão do pensamento (com sua psicopatologia da *dementia praecox*), nem a extroversão do sentimento (com sua psicopatologia da histeria). Essas confusões iniciais podem ter-se devido, em parte, ao seu próprio quociente psicológico.

Antes de nos voltarmos para a descrição junguiana da função sentimento, somos obrigados, em benefício da clareza, a diferenciar o nosso uso das concepções errôneas comuns da própria palavra "sentimento".

Em primeiro lugar, é costumeiro confundir sentimento com *percepção sensorial*. A dor e o prazer são primariamente sensações (sentir-se satisfeito, sentir-se incomodado, sentir-se exausto). Todavia, a dor tem, além da pura sensação, uma dimensão de sentimento, tendo em vista estar ela vinculada com o sofrimento ou desprazer (*Unlust*, na linguagem dos psicólogos alemães). Também o prazer apresenta uma dimensão de sentimento (a alegria, por exemplo), de maneira que podemos sentir-nos desiludidos ou infelizes por causa de uma punição dolorosa ou satisfeitos graças a um jantar delicioso. Usamos com frequência a expressão "sinto" quando queremos dizer, mais precisamente, "estou com uma sensação". Por exemplo, sentir frio, sentir-se bem, sentir a superfície de cetim de uma roupa são primariamente sensações, seja do ambiente interior, proprioceptivamente, ou de um objeto externo. A psicologia acadêmica tentou separar conceitualmente o sentir e o ter sensações em termos de interioridade e exterioridade. Sentimos estados subjetivos e temos sensações de objetos externos. Mas o uso junguiano de sensação e sentimento é mais sofisticado: podemos sentir eventos como valores objetivos exteriores em ações éticas e objetos artísticos, da mesma maneira como podemos ter sensações interiores dos nossos próprios processos subjetivos.

Também usamos sentimento e sensação de modo confuso quando dizemos que alguém é "sensível" fazendo com isso referência a um refinamento do sentimento, a uma sensibilidade, uma qualidade de elevada capacidade perceptiva. "Sensitivos", em parapsicologia, refere-se a pessoas que têm uma surpreendente função intuitiva. Assim, o que é curioso, encontramos essa mistura de termos em que sentimento, sensação e intuição ficam indistintos. Essas diferenças não podem tornar-se tão claras quanto a mente desejaria, visto que a língua segue, não a verdade lógica, mas sim a verdade psicológica. Como é evidente, a separação de funções não é definida de modo inequívoco. No francês, por exemplo, a palavra *sentir* (vinculada com o termo "sentiment", emoção) significa "sentir", "ter sensação", bem como "prever" (intuir). As metáforas do sentimento usam a linguagem da sensação; dizemos "gostoso", "doce", "amargo", identificando o conteúdo sensorial do sentimento com a função sentimento.

Há na linguagem muitos motivos para a proximidade entre sentimento e sensação. Etimologicamente, a raiz da palavra "sentimento" é *fol* (teutônico), cognata de *fol-m* (anglo-saxão), que significa "palma da mão". Há essa mesma raiz na palavra islandesa *fal-ma*, tatear, andar às apalpadelas. De fato, o *Etymological Dictionary* de Skeat define "sentir" simplesmente como "perceber pelo tato". Há, vindo de outra direção, um vínculo entre sentimento (num sentido mais amplo) e mão: o termo grego *orexis*, traduzido por apetite, desejo e anseio, também tem o sentido de estender ou de esticar (a mão). É perigoso chegar a grandes conclusões a partir da etimologia, mas está claro que o sentir um dia teve conotação tátil.

Em segundo lugar, o sentimento costuma ser confundido com *intuir*. Sentir-se seguro, sentir-se certo, sentir que algo está errado ou estranho – todas essas são expressões da intuição. Tendemos a dizer "sinto" em vez de "percebo", "acho", "parece-me", que seriam termos mais apropriados para a declaração de intuições. A asserção "ele 'sente' a arte" ou "ele consegue 'sentir' o que vai no coração das pessoas" descreve antes a intuição do que o sentimento.

Em terceiro lugar, é comum não distinguir sentimento de *emoção, afeto* e *paixão* (sentir-se furioso, excitado, apaixonado, amargurado). A demarcação dos limites, nessa área, é um grande problema da psicologia, como o analisei com alguma profundidade em meu livro, *Emotion*. Jung em geral separa afeto de emoção (cf. *Psychological Types*, 1923, "Definições", p. 541). Sua distinção entre sentimento e emoção/afeto é essencialmente quantitativa (*ibid*., p. 522): os sentimentos se tornam afetos quando liberam inervações físicas. Contudo, ele não avança o bastante; e um exame da literatura acadêmica (ver meu livro, *Emotion*) fornece alguma base para considerar os afetos antes como dinamismos primordiais, unilaterais e parciais de liberação, bem mais próximos daquilo que os estudiosos do comportamento animal denominam reações inatas (instintivas) ou que os psiquiatras chamam de reações primitivas. O afeto rebaixa o nível mental até o plano do que Janet denominou parte inferior de uma função. A emoção, por sua vez, é um evento da personalidade como um todo, que talvez se baseie no afeto ou no fato de se ter um componente afetivo, contendo uma dimensão de sentimento. Muitos níveis são ativados e a consciência se transforma, por meio de uma emoção, numa espécie simbólica de consciência. As emoções são estados altamente significativos. Fornecem profundidade; dão e trazem sentido; desorganizam e criam ao mesmo tempo, apresentando a experiência da consciência do corpo. Em resumo, a emoção abarca o afeto, o sentimento e mais alguma coisa; o sentimento é uma atividade parcial associada principalmente com a consciência; e o afeto é quase por inteiro uma expressão fisiológica.

Em quarto lugar, o sentimento, como função, difere dos *sentimentos*. Podemos ter sentimentos sem termos capacidade de fazer muito com eles, sem podermos funcionar de maneira sensível. (Do mesmo modo, podemos ter intuições ou pensamentos sem funcionarmos essencialmente através da intuição ou do pensamento, isto é, podemos ter pensamentos sem termos condições de trabalhar com eles até chegar a uma conclusão.) A função sentimento pode avaliar pensamentos, objetos sensíveis e conteúdos psíquicos de qualquer espécie. Não se restringe aos sentimentos. Ela sente (aprecia e se relaciona com) mais do que sentimentos. Podemos sentir nossos pensamentos, descobrir-lhes o valor e a importância. Podemos sentir que até as mais intensas sensações ou as maiores intuições têm pouco valor e não admitem que nos relacionemos com elas. Da mesma maneira, podemos pensar sentimentos ou sobre sentimentos – como fazemos agora nesta palestra. Os próprios sentimentos – irritação, júbilo, tédio – podem ser tratados adequada ou inadequadamente, avaliados de modo positivo e negativo, pela função sentimento. Voltaremos a isso com mais detalhes ao tratarmos do "funcionamento inferior". Assim, a pessoa que parece ter tanto sentimento e estar tão cheia de sentimentos pode não ter nada de um "tipo sentimental", ao passo que um desses tipos, que atribui a cada sentimento um mesmo peso, pode parecer profundamente destituído de sentimentos, distante e desinteressado. *Ter* sentimentos e *usar* sentimentos marca a diferença entre os conteúdos e o processo que os organiza e exprime. Contudo, feita essa distinção, não lhe devemos dar grande importância; na prática, o contínuo processo subjetivo de experimentar sofrimentos é o pano de fundo passivo da função sentimento.

Em quinto lugar, o sentimento é com frequência fundido descuidadamente com os símbolos conceituais *anima* e Eros. Eros refere-se ao princípio da união, da atração *por* e do apego *a*, da conexão, da relação, do envolvimento que une. Tem raízes no desejo em afetos específicos, como anseio, ardor, enlevo, languidez, e em símbolos particulares como asas, flechas, criança, fogo, escada. Como dominante arquetípico, Eros se distingue da *anima* como complexo psicológico e, ao mesmo tempo, do sentimento como função psicológica, mesmo que estes possam assumir nuanças de Eros e ficar sob o seu domínio, visto ser ele metapsicológico, um Deus ou Demônio, uma categoria mais ampla do que a *anima* e o sentimento.

A *anima* é por definição o aspecto feminino da psique masculina e sempre é feminina. Eros, no entanto, é masculino. Suas imagens em várias culturas o confirmam Kama, Eros, Cupido, Freir, Adônis e Tamuz são machos; e as encarnações do amor iluminado, Krishna, Buda, Jesus – apesar de sua docilidade e abstenção da fertilidade sexual – também são do sexo masculino. O princípio de eros é ativo e determinado: prega, ensina, viaja, leva almas à redenção ou heróis e homens ao abraço fatídico ou finca suas flechas na carne – o amor é façanha e poder masculinos. Produz efeitos no mundo e na psique. Quer o movimento seja a devolução da graça ao mundo ou o anseio de se elevar do imperfeito para o perfeito, eros permanece em todos os contextos, cristãos ou não, como um dínamo criador espiritual, um impulsionador por excelência.

Embora possamos considerar o sentimento uma manifestação de eros no âmbito da consciência e eros a raiz arquetípica da função sentimento, esse princípio difere ainda, de modo claro, do sentimento, graças ao fato essencial de que este é humano. O sentimento é um atributo individual da consciência, limitado por uma situação espaço-temporal; Eros, como nos dizem os escritos, sempre é universal e impessoal – e até inumano e demoníaco. Quer como compulsão sexual ou eros cosmogênico que garante a integridade do universo, Eros é impessoal, permanece como força, não sendo uma função sentimento.

Em consequência, é bem legítimo falar de pessoas com muito eros e pouco sentimento ou com sentimento diferenciado e pouco eros. Se nos recordarmos de eros como força vital que nos arroja na vida e na desordem, conturbando as coisas e envolvendo a psique com assuntos que estão além da sua compreensão, poderemos perceber quão pouco ele tem que ver com uma função sentimento diferenciada. Os amantes podem unir-se sem nenhum sentimento; eros basta para criar toda espécie de progênie, formar unidades simbólicas com toda espécie de opostos. Por outro lado, o "sentidor" charmoso, ou o introvertido que "sente profundamente" podem estar longe de serem impulsionados pelo arquétipo de eros. Quando se consideram a histeria, a sociopatia e a fuga esquizoide, pode ser útil diferenciar entre eros e sentimento. O sentimento pode funcionar com bastante adaptabilidade no aspecto psicopático do complexo, com encanto e todas as manifestações de uma relação interessada, tendo no entanto, na base, poder e ganho pessoal, e não eros. Muitos problemas da falta de eros são ocultados sob as palavras "introversão" e "tipo sentimental", o que permite ao introvertido que sente profundamente levar uma vida na qual as confusões ardorosas de eros e sua dinâmica ambiciosa jamais impelem a personalidade.

Nos seminários de Jung (*Dream Analysis*, Volume II, 1929/30, terceira edição, 1958, Psychological Club, Zurique, pp. 292-93), que ainda não teve publicado um texto padrão e do qual não podemos fazer citações, Jung faz algumas distinções entre a função sentimento, o amor e eros. Ele assinala que todas as funções podem ficar sob a influência de eros. Todavia, não tende a considerar o mais elevado desenvolvimento da função sentimento como manifestado por uma qualidade ligada com o amor. A dificuldade na diferenciação desses termos reflete dificuldades prévias com o nosso sentimento, o nosso amor e o nosso eros. Eros é um Deus; tendo perdido o contato com ele, estamos numa enrascada e travamos batalhas em torno de *agape* e *philia*, *caritas* e *amicus*. Não admira: afinal, quem sabe o que é o amor?

As oposições entre logos e eros, entre masculino e feminino, entre amor e poder – e tantas outras com que nos acostumamos – precisam ser entendidas, sobretudo, no âmbito da *fantasia dos opostos*. Os opostos são maneiras de separar, de opor e diferenciar coisas; as oposições servem para perceber coisas com a mente, que sempre necessita dessas simplificações porque jamais alcança de fato a complexa natureza da realidade psíquica, que sempre é complicada. Por conseguinte, não vamos insistir tanto em opor princípios – logos *versus* eros. Há um logos em eros e um eros no espírito. Esses princípios ideacionais são ideias simbólicas, precisando-se entender cada um deles por si mesmos, à sua própria maneira, e não apenas como fichas num jogo de opostos.

A masculinidade de eros sempre deve ser diferenciada de modo inequívoco da sua contraparte feminina, com a qual ele costuma estar em estreita relação – o que gera as imagens mitológicas de Mãe e Filho, como aspectos um do outro, com o filho personificando e concretizando as qualidades da mãe. A Grande Deusa e todas as suas configurações – Kuan-Yin, Devi, Ishtar, Cibele, Afrodite, Vênus, Freia ou Maria – apresentam outra qualidade. A essência do seu amor é mais passiva, mais receptiva e menos diferenciada. Essa essência, expressa negativamente, é a notória promiscuidade da Grande Deusa; em sua expressão positiva, é a fecundidade sem fim e a misericordiosa compaixão para com tudo e com todos.

Não podemos perder de vista que toda discussão contemporânea acerca da função sentimento e do modo como esta se apresenta sempre traz consigo as confusões da nossa linguagem e da nossa cultura, onde reinam o sentimento indistinto e a emoção indisciplinada. A repressão sempre tem o efeito de amalgamar o reprimido, por meio do aquecimento e da pressão, numa mistura pegajosa. Onde há repressão do princípio feminino, assim como do sentimento e de eros, as mulheres tendem a ser representantes de todas essas virtudes. Mas, para nós, não é possível distinguir, sem uma cuidadosa análise, quais as várias propriedades do amálgama. A análise individual na psicoterapia pode, com otimismo, levar à separação das várias virtudes em questão. Eros pode então ser libertado da identificação com a Grande Deusa passivamente feminina e indistinta, o complexo da *anima* pode ser resgatado de sua submissão ao erotismo e, as mulheres, aliviadas da carga de serem portadoras do lado feminino inconsciente dos homens, bem como da obrigação de personificarem a função sentimento deles e o seu compromisso autêntico e necessário de eros.

Devem-se ler por inteiro as definições junguianas do sentimento. Mas podemos pinçar delas as formulações seguintes (veja-se *Psychological Types*, Londres, 1923, pp. 543-46; a ser publicado em *Collected Works* como Volume 6):

> "O sentimento é primariamente um processo que ocorre entre o ego e um dado conteúdo; um processo, ademais, que atribui ao conteúdo um *valor* definido em termos de aceitação ou rejeição ('gostar' e 'desgostar'); mas também pode manifestar-se, por assim dizer, isolado, na forma de 'estado de espírito', bem apartado dos conteúdos momentâneos da consciência ou das sensações momentâneas."
>
> "... o sentimento é uma espécie de *juízo*, diferindo, contudo, de um julgamento intelectual, visto que não pretende estabelecer uma relação intelectual preocupando-se

apenas com estabelecer um critério subjetivo de aceitação ou rejeição. A avaliação pelo sentimento se estende a todos os conteúdos da consciência, sejam de que tipo forem. Quando a intensidade do sentimento aumenta, é produzido um *afeto*, sendo este um estado de sentimento acompanhado por apreciáveis inervações corporais."

"... o sentimento é, tal como o pensamento, uma função *racional*, visto que, como o demonstra a experiência, os valores em geral são atribuídos segundo as leis da razão, tal como geralmente acontece com a formulação de conceitos. Naturalmente, as definições acima não caracterizam a essência do sentimento; servem apenas para transmitir-lhe as manifestações exteriores. A capacidade conceituai do intelecto mostra-se incapaz de formular a real natureza do sentimento em termos abstratos, visto que o pensamento pertence a uma categoria deveras incompatível com o sentimento." (Compare-se com Mendelssohn.)

"Quando a atitude do indivíduo como um todo é orientada pela função sentimento, falamos de um *tipo sentimental*."

A função sentimento é o processo psicológico que avalia. Por seu intermédio, apreciamos uma situação, pessoa, objeto ou momento em termos de valores. Uma condição para o sentimento é, portanto, uma estrutura de memória sentimental, um conjunto de valores, com o qual se possa relacionar o evento. (Podemos ver de imediato como é importante a análise da infância para a descoberta de influências parentais sobre a estrutura da memória sentimental e o desenvolvimento de valores.) Alguns autores acentuaram em particular essa estrutura de memória sentimental construída a partir do passado, bem como a preferência do tipo sentimental pelo passado. Essa maneira sobremodo esquemática de organizar os tipos de acordo com o tempo tem, na verdade, a vantagem de enfatizar a importância do tempo com relação às funções e, em especial, a importância de uma acumulação de experiências sentimentais como base da função sentimento. (Veja-se H. Mann, M. Siegler, H. Osmond, "The Many Worlds of Time", *J. Analyt. Psychol.*, n. 13, pp. 36 ss.)

Na qualidade de processo em andamento que dá ou recebe cargas de sentimento – mesmo uma carga de indiferença –, essa função vincula tanto o sujeito ao objeto (ao atribuir valor) como o objeto ao sujeito (ao receber o objeto no sistema subjetivo de valores). Funciona, pois, como uma relação, sendo muitas vezes chamada de "função do relacionamento". Quando um gato preto cruza o meu caminho e eu diminuo o passo, franzo a testa e sinto um arrepio de medo, relaciono-me com o evento num nível que ultrapassa o fisiológico. O evento e o gato foram avaliados em termos do meu sistema subjetivo de valores, que tem posições estabelecidas a respeito dessa situação. A função sentimento estabeleceu entre mim e o evento uma relação vinculada com preocupações e julgamentos negativos. Os eventos que não são avaliados, mas apenas registrados perceptualmente ou tomados pela mente como intuições fantásticas, não foram sentidos, razão por que não posso considerar-me relacionado com eles nem considerá-los relacionados comigo. Posso ter sonhos vívidos e conflitos devastadores sem no entanto sentir o seu valor, razão pela qual eles não teriam relação com a minha consciência. Portanto, para resumir, o sentimento estabelece relações entre o sujeito e o objeto, entre o sujeito e os conteúdos da sua psique – na forma de valores – e entre o sujeito e a sua própria subjetividade – na forma de uma carga emocional e de um estado de espírito gerais.

Como processo, o sentimento requer tempo, mais do que é necessário à percepção. Tal como o pensamento, ele deve organizar racionalmente as percepções a fim de julgá-las; ele difere do pensamento porque julga por meio de valores. Quanto mais diferenciado e rico esse conjunto de valores, tanto mais lento pode ser o processo do sentimento. (O mesmo ocorre com o pensamento: quanto mais diferenciado o mundo ideacional, tanto mais vagarosa pode ser a apresentação final de um novo pensamento.) Ao fazer julgamentos, a função sentimento pesa valores, compara nuanças e qualidades, avalia a importância dos elementos e toma decisões em torno dos valores que descobre. Essa função, num nível mais primitivo, é essencialmente uma reação do tipo "sim-não", gostar-desgostar, aceitar-rejeitar. À medida que ela se desenvolve, forma-se em nós uma apreciação sutil de valores e até de sistemas de valores, e nossos julgamentos via sentimento se apoiam cada vez mais numa hierarquia racional, seja no domínio do gosto estético ou da ética, das formas sociais ou das relações humanas. Embora não sejam lógicos, esses sistemas de valores e os julgamentos deles derivados são racionais. A função sentimento desenvolvida é a razão do coração, que a razão da mente não compreende muito bem.

A diferença entre o lógico e o racional com relação ao sentimento talvez mereça uma descrição mais ampla. Embora o sentimento não opere com silogismos, há em sua operação precisão e uma razão demonstrável. Por exemplo, as pessoas desenvolvem o gosto, que não pode ser explicado em termos lógicos nem provado experimentalmente, mas que mesmo assim é coerente e sistemático. A capacidade de lidar com um problema ou de falar com uma pessoa de modo correto revela uma discriminação racional e um ajuste ao que é necessário. E, no entanto, essa operação pode não ter nada de intelectual. Dizemos coisas diferentes a pessoas diferentes, segundo os valores da situação e de acordo com as exigências da outra pessoa. Essas respostas que damos a perguntas que nos são feitas podem não ser verdadeiras nem corretas do ponto de vista do sentido lógico, mas, da perspectiva do sentimento, podem estar absolutamente certas.

Diante da pergunta de uma criança, por exemplo, podemos responder a partir do pensamento ou do sentimento; às vezes, uma história que responda à ansiedade da criança pode ser "mais verdadeira" do que uma explicação intelectual de causas. Atingir de fato o alvo nem sempre significa enunciar a verdade factual ou lógica. Na terapia, muitas vezes podemos aliviar os transtornos provocados por um problema, não por meio de cansativas deduções lógicas, mas com absurdos de uma anedota ou parábola ao estilo dos mestres espirituais. Na resolução de um conflito, um quadro geral harmônico tem com frequência mais importância do que a lógica ou os fatos. A função sentimento cria assim uma situação em que pontos de vista podem ser racionalmente combinados mesmo que os tópicos lógicos e factuais conflitantes não tenham sido resolvidos e nem mesmo estabelecidos por um acordo. Podemos ficar irracionalmente irritados com um compromisso ou com uma obrigação externa e, mesmo assim, em sintonia com os nossos próprios valores e com o nosso próprio estado de espírito. Quando acordamos pela manhã, o sentimento nos diz como nos sentimos sem considerar a racionalidade exterior do tempo, da hora, das tarefas diárias, da condição do corpo. E, sobretudo, o sentimento fornece a ordem e a lógica do amor.

Há um sentido temporal vinculado com a função sentimento que a literatura não menciona e que, no entanto, é uma parte da *ratio* da função sentimento. O sentido de tempo e de tato é uma tarefa do sentimento que muitas vezes é incompatível com a razão do pensamento. Essa divisão enseja fazer a coisa certa na hora errada. A pessoa "sente" cada momento discreto e cada grupo de momentos. Cada vida tem o seu modo de sentir, sua forma própria de transcurso do tempo, o que transforma uma história de caso numa história de alma; uma cadeia de eventos, num ritmo de padrão específico. Uma biografia é a exposição do sentimento de uma pessoa e de um período ao longo do tempo.

Embora o sentimento seja um processo de avaliação, apesar de Jung ter descoberto fatos que levaram à sua descrição da função com base em asserções valorativas no experimento de associação e embora se costume organizar os valores em escalas, não é possível simplificar o sentimento para enquadrá-lo num sistema prazer-dor, gostar-desgostar. Alguns teóricos tentam, com a sua lógica, reduzir o sentimento ao extremo de um par de coordenadas hedonistas. Mas a diferenciação do sentimento estético (belo-feio), moral (bom-ruim), humano (amor-ódio); (animado-deprimido) e biológico (atração-repulsa); (retração-expansão) aponta para além das meras preferências hedonistas do gostar-desgostar. A redução do sentimento ao hedonismo leva inevitavelmente a uma filosofia hedonista em que a hierarquia dos valores e juízos de sentimento é forçada a entrar numa estrutura de prazer e dor. Feito isso, vêm as medidas quantitativas e o sentimento desaparece diante da organização técnica do pensamento.

A natureza da função sentimento é mais complexa. Ela não começa de modo simples, mas, tal como a música, antes como uma *gestalt* melódica do que como uma cadeia de tons primários. O sentimento dá o seu tom, que varia de acordo com a situação e com os valores nela implícitos. Como se diz em estética: julgamos cada obra de arte segundo as condições que ela mesma apresenta, de acordo com os alvos que ela mesma busca alcançar.

Nem na análise nem no aconselhamento é correto ou útil tentar descobrir o sentimento por meio de perguntas como "você gosta dele?", "você gosta disso?". Se a resposta for um simples "sim" ou "não", não haverá de fato uma afirmação individual sobre um sentimento, mas alguma coisa mais infantil e mecânica, talvez uma concepção proveniente da família – no sentido de ser uma reação afetiva advinda do complexo, e não um julgamento consciente do ponto de vista do sentimento. Gostar e desgostar são coisas complicadas; requerem que se faça uma avaliação. A resposta do sentimento a "você gosta dele" é "depende" – depende da situação, do que designo por "gosto", dos aspectos dele sobre os quais me perguntam etc. A função sentimento opera com todas essas coisas; é, como diz Jung, um processo. Reduzir o sentimento a uma mera alternativa gostar-desgostar é uma desvalorização intelectual; seria igualmente injustificável reduzir os processos de pensamento à dicotomia verdadeiro/falso. De qualquer maneira, a redução é um modo limitado de agir na análise psicológica de qualquer coisa. Podemos separar, analisar, examinar, descrever; mas a redução subestima, pois destrói a totalidade de um evento, a realidade existencial daquilo que, num dado momento, ele nos parece – o que sempre é complexo, vindo essa complexidade do sentimento. O sentimento registra a qualidade e o valor específicos das coisas. E é função do sentimento, precisamente, fazer essa exploração e amplificação de nuanças e tons, que são o oposto da redução.

Mergulhamos nessas diferenciações do conceito de sentimento a fim de demonstrar que não falamos de sentimentos num tom vago, sentimental e popular. Não basta falar de sentimentos de culpa, sentimentos feridos e sentimentos errados. Não é suficiente encorajar as pessoas a expressarem seus sentimentos. Essa palavra sentimento requer também alguma espécie de fundamentação teórica. O tratamento da noção de sentimento neste capítulo é parte do esforço por tornar mais preciso o próprio sentimento. É também uma maneira de tomar consciência do sentimento, um modo de consciência do sentimento.

A função sentimento tem estado oculta como um continente perdido na psique coletiva e parece estar em movimento, causando sismos e abalando os alicerces das nossas crenças e valores – e, com efeito, dos nossos estilos. Toda a preocupação com o erotismo e a solidão, com a velhice e a delinquência, com a violência e a comunicação reflete um movimento do sentimento no interior da psique coletiva. Ninguém pode escapar disso; tudo parece muito incerto quando os sentimentos são abalados, quando não se pode contar com valores e estilos, nem com os processos de relacionamento que cimentam os padrões sociais. A psicoterapia parece ter descoberto esse movimento no continente perdido, ao colocar sua atual ênfase na sensibilidade, na capacidade de relacionamento e na expressão dos sentimentos. Não é preciso dizer que esta é uma abordagem unilateral da psique, uma abordagem demasiado pessoal e sentimental. Ao que parece, a psicoterapia é bem irrefletida no tocante aos movimentos coletivos da psique que lhe afetam os dogmas; quando o sexo era o grande reprimido, tivemos a influência vienense; depois, em toda parte, só se falava do complexo materno, da amamentação e dos seios; agora, a questão é a função sentimento; logo os temas serão a agressão, a violência e a inimizade.

No momento, enquanto reviso estas palestras (1970), o sentimento é o conteúdo e o procedimento da psicoterapia. Encontramo-nos num novo Romantismo em que o sentimento é tudo; tornamo-nos viciados em sentimento: "como você sente isso?"; "exprima seus sentimentos!"; "como você se sente a esse respeito?" A comunicação passou a ter como centro a descrição de sentimentos, substituindo as ideias e percepções. Ademais, o espírito intelectual da psique e a comunicação do pensamento são encarados como uma traição ao "movimento", àquilo que temos de "humano" e de "pessoas reais". Vemos mais uma vez como o pensamento e o sentimento caem em oposições arcaicas. E esses sentimentos, expressos e compartilhados em grupos terapêuticos e nos novos tipos de comunidade são tão incrivelmente pessoais e enfadonhos! Agrada-nos muito acreditar que o que temos de mais pessoal é também o mais individual; contudo, o pessoal, aí incluído o ego, reflete lugares-comuns e generalidades.

As aventuras íntimas das nossas "viagens" pelos nossos próprios sentimentos são tão tediosas quanto os filmecos domésticos da viagem pelos Parques Nacionais. Porque a psique não se alimenta apenas do pessoal; para atingi-la, uma experiência deve ser fantástica, isto é, precisa assumir um aspecto poético, metafórico ou mítico que ultrapasse aquilo que foi pessoalmente sentido. Há um falso pressuposto, nos novos cultos terapêuticos, que acentua o sentimento pessoal. Faz-se uma oposição entre a experiência pessoal e a experiência geral, impessoal ou abstrata. Mas o pessoal não passa de um nível da experiência geral e comum. Todos têm medo se atacados, anseiam por algo que não sabem bem o que é, lutam, odeiam e caluniam. É preferível ver o pessoal como o sentimento no nível banal do ego, que coloca cada um, sincero adolescente, como centro sensível do universo.

Com efeito, é patético perceber quanto nos apartamos do sentimento e de suas formas, o que nos levou a brincar em caixotes de areia, a rastejar, a correr despidos no mato, a permitir que estranhos nos toquem o corpo ou a ouvir praticantes profissionais recitarem poesia barata para podermos "sentir alguma coisa". E, no entanto, bem abaixo das tendências da moda, está a própria psique, lutando com o cultivo da alma, desta feita em termos de sentimento. Essa função perdida e degenerada se manifesta numa ternura e numa sensibilidade desajeitadas, em tentativas de tocar, de estender a mão, de encontrar – o que só serve para ser sistematizado pelos terapeutas em lucrativos métodos profissionais que nos ensinam a ser sensíveis, a tocar e a encontrar. Talvez esses novos programas tenham mais valor do que o meu sentimento lhes concede. Mas há outras maneiras de sentir, algo que estas palestras alimentam a esperança de demonstrar.

Capítulo III

O TIPO SENTIMENTAL

Na realidade não é fácil reconhecer os tipos. O tipo funcional poucas vezes é evidente, visto que, como disse Anaximandro, assim como o Buda, tudo o que existe é uma mistura de elementos; tudo é impuro. Não há tipos puros; não há ninguém em que só uma função opere. Mas há aqueles em que "a atitude (geral)... se orienta pela função sentimento" e, seguindo Jung, damos-lhes o nome de tipos sentimentais.

A descrição de Jung cobre por inteiro o que ele denominava tipo sentimental extrovertido e tipo sentimental introvertido; desde então, estas descrições têm sido trabalhadas por vários teóricos junguianos. Em vez de percorrer de novo essa trilha, seria mais útil desvelar alguns clichês acerca dos tipos sentimentais, pois essas noções, concebidas em jargão, atuam contra o sentimento e mantêm a sua desvalorização. Alguns desses clichês afirmam, por exemplo, que os músicos são "sentidores", que pessoas com "bom eros" são tipos sentimentais ou, ainda, que as mulheres, só por serem mulheres, têm melhor acesso ao sentimento.

Analisemos essas noções uma a uma. A relação entre música e sentimento jamais foi examinada com cuidado. Tanto na composição como na execução, o âmbito da música não é limitado por um tipo determinado de pessoa. O fato de não ser verbal, não significa necessariamente que a música seja desprovida de conteúdo intelectual ou não requeira pensamento. Como toda forma de arte, a música une opostos, não sendo o privilégio de uma função psicológica específica, exceto se dermos a essa função o nome de "talento musical". A música tem encantos capazes de domar bestas selvagens e Orfeu encantava *todos* os animais com a sua lira. Assim, quando ouvimos música, são estimulados sentimentos, mas isso não quer dizer que usemos especialmente a função sentimento para fazê-lo, nem que o tipo sentimental ouça com mais precisão.

Ademais, há um curioso aspecto apolíneo da música que pode levar a consciência a estratos inumanos, frios, distantes e até cruéis. O relacionamento entre a música e os militares merece maior consideração: Aquiles, o maior matador da *Ilíada*, tinha uma relação especial com a música; Apoio cometeu seu pior crime (contra Mársias) por causa da música; e os generais e comandantes de campos de concentração nazistas adoravam belos concertos. Tendemos a sentimentalizar tanto a música como a função sentimento, sem considerar que ambas podem exibir um aspecto psicopático. Acentuemos mais uma vez a diferença entre eros como princípio arquetípico e o sentimento como função. Eles são deveras distintos. Por exemplo, algumas pessoas podem ter bom gosto, um sentimento sensível diferenciado, dotado de profundidade cultural, e ser, ao mesmo tempo, desonestas ou completamente autoeróticas, sem o mais leve traço de eros – no sentido de envolvimento, amor e cuidado ardentes. Ou, no outro extremo, pode-se ser todo eros, um amante quase mítico, capaz de uma total entrega e de grande compaixão, sem por isso ter um mínimo de contato com o próprio sentido subjetivo de valores vinculados com o sentimento nem com os objetos externos, causas e pessoas a quem se devota a vida. Uma mulher pode amar e esperar um beberrão preso por cometer crimes; seu sentimento pode não distinguir as coisas e estar confuso, mas seu eros está em ordem. Ou então observemos pessoas apaixonadas; elas estão imersas em eros e, ao mesmo tempo, podem mentir, enganar e ferir uma à outra e à sociedade. Em todo caso, os apaixonados podem não ser um bom exemplo de eros nem do sentimento!

Outra fonte de clichês acerca do sentimento refere-se ao papel das mulheres. Têm-se sobrecarregado as mulheres com o lado feminino da psique masculina. Os homens presumem que as mulheres conseguiram aquilo que eles não obtiveram. Quando fracassam em tomar consciência de sua própria função sentimento, os homens recorrem às mulheres em busca de julgamentos e valores vinculados com o sentimento, estabelecendo assim padrões impróprios de relacionamento. Essa ilusão é perpetuada sempre que uma mulher quase obriga o marido a ir a um concerto, a uma catedral ou a uma loja de roupas. Nessas situações, supõe-se que sua função sentimento esteja educando a cultura e o gosto do marido. Os padrões masculinos de relacionamento – por exemplo, entre amigos e inimigos, militares, laboratórios, organizações comerciais, adversários legais e parlamentares, clubes e sindicatos – são atividades e lugares próprios da função sentimento dos homens, razão por que não é necessário identificar a função sentimento com as mulheres, nem impô-la a elas. Quando Jung declara, na descrição dos tipos, que os tipos sentimentais são mais comuns entre as mulheres, sua afirmação deve ser encarada como uma observação da nossa sociedade, mas não como lei psicológica. Com efeito, um dos insidiosos clichês da nossa época (que a psicologia junguiana fez bastante para refutar) diz que eros e o sentimento têm afinidade com a mulher. Nesse modelo, o sentimento dos homens jamais pode ser entendido de maneira correta, sendo esse o motivo pelo qual os sentimentos de amizade são considerados homossexualidade latente ou transferência. Numa sociedade em que os homens devem procurar nas mulheres sua educação sentimental (valores morais e estéticos, organização das relações, modos e estilo, expressão de sentimentos), o tipo sentimental masculino se dispersa e sequer é reconhecido pelo seu afim psicológico, que também usa máscaras de "bom sentimento" projetadas pelas mulheres. Com frequência o homem entra em contato com a sua própria função sentimento quando está na companhia de outros homens (*e.g.*, no serviço militar, no escritório ou num caso amoroso adúltero, cujo curso e ritmo dependem de sua conduta em termos de sentimento).

Outra concepção comum é a de que o ardor, a alegria e o entusiasmo equivalem ao sentimento e de que os tipos sentimentais podem ser reconhecidos pela sua grande capacidade de relacionamento. Todavia, uma pessoa intuitiva, ou alguém que ainda não tenha crescido de fato ou ainda um(a) histérico(a) também podem exibir essas mesmas virtudes, por vezes encantadoras, e ainda assim terem um sentimento deslocado e impróprio. O desinibido traz a uma situação um livre fluxo de sentimento, o que não significa que traga também uma função sentimento diferenciada. Alega-se igualmente que as pessoas frias não são tipos sentimentais; contudo, o sentimento pode ser expresso de maneira fria, exata, remota, como ocorre na linguagem diplomática e nos domínios do gosto estético, nos quais as formulações e a precisão clássicas podem ser comparadas com a elegância das fórmulas matemáticas.

Esquecemos por vezes que a aplicação da lei por um juiz é uma operação de sentimento e que as leis não foram inventadas apenas para proteger a propriedade ou para garantir ao sacerdócio e à classe dominante o seu poder, mas também para julgar difíceis problemas humanos e fazer justiça nos negócios dos homens. Julgar é uma questão de sentimento, da mesma maneira como, nos templos de Saturno, exibia-se uma balança, ou como, no horóscopo, diz-se que Saturno está bem posicionado quando se encontra no signo de Libra. Uma decisão salomônica não é um golpe brilhante que desfaz o Nó Górdio das complexidades; é, antes, um julgamento a partir do sentimento. A lei cuida de "causas", considera "petições" e "obrigações", podendo-se fazer, através dela, "apelos". A *Bill of Rights* é um documento da função sentimento em sua mais abstrata manifestação. Acreditamos erroneamente que o sentimento sempre deve ser pessoal e que a lei sempre é fria e seca, esquecendo-nos dos valores de sentimento impessoais da lei, dos seus ideais e de sua explicação geral.

Em sua obra *Education Through Art* (Londres, 1943), Herbert Read desenvolve os oito tipos em conexão com os estilos de pintura. Ele crê que o tipo sentimental extrovertido tende para a arte decorativa e que o introvertido tende para a arte imaginativa. Temos aqui, outra vez, o início de um clichê acerca do sentimento: o sentimento extrovertido é "apenas" decorativo, superficial, um jogo de cores e formas, sem conteúdo profundo, comparado com o sentimento introvertido, que tem acesso à imaginação criadora. Nesse caso, tendemos a desconsiderar o fato de a imaginação, por ser governada arquetipicamente, poder produzir estereótipos e, por outro lado, o fato de que a decoração tem condições de elaborar maravilhosos padrões a partir tanto das formas mais antigas de cestos e de peças de cerâmica, como dos intricados desenhos das esculturas islâmicas em pedra. A sutileza e a complexidade podem ser virtudes do sentimento extrovertido, que não têm menos valor por não serem "profundas" ou "intensas".

Outra noção predileta sobre os tipos sentimentais é a seguinte: sua presença sempre faz prevalecer uma atmosfera de bons sentimentos. Todavia, esses tipos, devido à sua insistência em valores e nas estruturas em que esses valores estão imersos, podem frequentemente mostrar-se intolerantes ao extremo, razão pela qual muitas vezes inibem o movimento com a sua lentidão, visto que, quando entram em sintonia com uma atmosfera que não lhes seja propícia, eles impõem de súbito seu próprio mundo de sentimento ou perturbam, ao miná -la, a atmosfera existente. Se ela não lhes agradar e não lhes for possível mudá-la, eles podem passar a noite calados, incapazes de participar, ao mesmo tempo que transmitem julgamentos silenciosos ou tentam, se extrovertidos, colocar as coisas em canais sociáveis adaptados. A importância das ideias, a beleza das intuições indomáveis ou as sensações tais como são não bastam; é preciso avaliar as coisas e se relacionar com elas.

Logo, eles também têm dificuldades com o irracional, já que o sentimento é uma função racional, talvez não lógica e, no entanto, sempre razoável. Os tipos irracionais se veem paralisados e irritados com o desinteresse para com os, e até com a sabotagem dos, eventos, coisas e pessoas "loucos" por parte dos tipos sentimentais. Estes têm uma boa mão, que amacia e ajeita – mas que também esmaga. Não gostam do conflito, preferindo equilibrar os extremos – não pela defesa do extremo oposto, mas pela diminuição do próprio extremo, fazendo-o parecer ridículo, desproporcionado. Dizem: "não se incomode tanto com isso", "isso não tem tanta importância" ou "espere até amanhã". Ou então, quando as coisas estão "loucas" e fora de controle, encontram meios de torná-las palatáveis outra vez, seja com uma gracinha que descontrai ou com um julgamento positivo da coisa em pauta, algo como "talvez seja melhor dessa maneira" ou "parece maluco, mas na verdade é uma boa coisa". Esses métodos suaves e diplomáticos ajudam a civilizar a vida, mas, em benefício desse "bom sentimento", a mudança muitas vezes é bloqueada. Mesmo nas relações íntimas, o tipo sentimental parece perceber com facilidade o ponto fraco do outro, no qual pode enfiar a agulha. Eles podem lidar facilmente com os aspectos de um relacionamento que quem não é um tipo sentimental tenta encobrir e não deseja ver expostos. Às vezes, numa discussão, eles introduzem a agulha, não em termos pessoais, mas tornando banal o objeto da discussão ou acabando com ele a partir de uma dúvida antiga e coletiva vinda do seu pensamento inferior.

Nos relacionamentos, os "sentidores" precisam entrar em contato com os sentimentos da outra pessoa. Outros tipos podem passar horas sem perceber que a pessoa com quem falam não está presente do ponto de vista dos sentimentos, ou até se mostra hostil. Por vezes, os outros tipos sequer sabem para quem estão abrindo o coração e revelando suas ideias mais caras. Mas os "sentidores" têm de ter essa relação, para não perderem o "contato" e se "desligarem". Eles têm uma noite ruim ou uma sessão de análise insatisfatória. O analista que não é "sentidor" fica animado com o seu tema, se interessa pelo "material" e jamais percebe que o analisando do tipo sentimental só se interessa pelo elemento de sentimento que os liga. Para o analista (nesse exemplo, um "não sentidor"), todo o sentimento está no trabalho; mas o analisando sente-se apartado de si mesmo ao ser afastado do sentimento. Por perder o contato com a sua primeira função, este último se sente rejeitado, chegando a conclusões errôneas acerca de si mesmo e da situação, porque os complexos assumiram o controle sobre ele; ou então se torna vítima do pensamento inferior, das ilusões e de ideias negativas.

Essa inclinação do tipo sentimental no sentido de manter o contato com a função sentimento do outro não é uma mera atitude para tornar tudo "pessoal" – coisa de que eles costumam ser acusados; para a função sentimento é de fato importante manter um fluxo de relacionamento entre o sujeito e os eventos. É assim que ela funciona; é essa a sua *raison d'être*. Um "sentidor" não costuma acompanhar o fluxo do pensamento numa discussão, embora possa estar avaliando atentamente o pensamento. No cinema, ele não precisa seguir a história para "captar" a situação, visto que consegue fazê-lo através dos atores, dos valores estéticos, do conteúdo ético ou da importância do conteúdo para a sua própria vida. Para não ser uma perda de tempo, um evento deve oferecer ao "sentidor" uma oportunidade de exercer a sua função; caso contrário, este se sente privado da sua maneira de estar no mundo e totalmente deslocado.

A necessidade de avaliar pode ser uma grande maçada para pessoas de outros tipos. Um "sentidor", por sua vez, jamais se sente capaz de apenas perceber e observar; ele tem de fazer julgamentos, pondo-se assim em contato direto com os eventos que avaliou. Um tipo sentimental tem de descrever a inquilina do andar de cima como "a bela moça do quinto andar" ou "o desagradável vigiazinho", "aquele analista esquisito" etc. Suas descrições estão carregadas de comentários adjetivais que falam de "gostar" e "desgostar", de "bom" ou "ruim". Mas aquela inquilina não é terrível nem feia, nem bonita ou intrometida – ou melhor, ela é *tudo* isso e muito mais. Ao fazer julgamentos, o sentimento põe as coisas no lugar, tornando desnecessário observá-las outra vez. Desse modo, os tipos sentimentais encerram a discussão, pois não dão continuidade à observação psicológica depois desse ponto. Tendo encerrado o processo de avaliação, consideram a questão decidida. Às vezes, em consequência de suas posições fixas, eles parecem desprovidos de inteligência, quando a causa real é a sua inflexibilidade diante dos valores que atribuem às coisas. O tipo sentimental é leal ao seu processo de sentimento e aos resultados desse processo, bem como às relações estabelecidas. Mas, ao fazer julgamentos e ao estabelecer relações, ele interrompe o fluxo de observações e percepções das funções irracionais. Ele não muda de opinião; faz amigos leais e releva toda espécie de defeitos, pois já tomou a sua posição, razão por que a pessoa com a qual fez amizade já não está em questão. Logo, ele tende de fato ao conservadorismo, como se descobriu no artigo de Mann, Siegler e Osmond acima mencionado.

Outro lugar-comum se refere à sinceridade e franqueza do tipo sentimental. Não se pode confiar, dizem as pessoas, em quem não tem bons sentimentos: seus valores são ruins, elas traem, são inconstantes. O tipo sentimental, acredita-se, é um especialista em relacionamento e pode levar o sentimento a ser canalizado de modo positivo nas outras pessoas. Entretanto, o sentimento diferenciado do tipo sentimental pode admitir qualquer coisa e ser bem o oposto da honestidade e da retidão. Além disso, não leva necessariamente à expressão de qualquer coisa por parte das outras pessoas. Visando manter uma aura de bom sentimento, ele pode encorajar tudo e a tudo represar, afastando de maneira indiscriminada as preocupações, tornando "não muito importantes" as questões espirituais, lisonjeando fóbicos e histéricos os quais absorvem dos amigos o conteúdo libidinoso que tenta emergir através do entusiasmo.

Temos de reconhecer que "ser humano" não é apenas uma questão de sentimento humano, mas também de ideias e de um espírito humanos. Quando ameaçados por ideias, incapazes de se relacionarem com eles ou de ver-lhes a significação *enquanto ideias*, os tipos sentimentais atuam como antiespíritos, como *Ungeist*, derrubando a essência do que é humano em nome do sentimento. Porque é tão importante pensar, refletir, intuir e perceber quanto sentir; não é apenas o sentimento que compõe o "humano".

Vale a pena questionar uma outra ideia acerca do sentimento. Costumamos conceber os tipos como extrovertidos *ou* introvertidos. Situamos a função no âmbito da fantasia dos opostos. Mas suponhamos que, antes desses opostos, haja uma única função de sentimento não dividida em dois tipos de sentimento. Suponhamos que sempre haja algum sentimento introvertido e algum sentimento extrovertido em ação sempre que a função é usada. Em outras palavras, talvez a função jamais se movimente numa única direção, sendo antes um tanto ambivalente.

Numa festa, ou ao ter de fazer alguma coisa em público, experimentamos com frequência os dois níveis ao mesmo tempo:

envolvimento e reserva, por exemplo. Considerar um dos aspectos dessa ambivalência "esquizoide" ou pertencente a uma sombra ou a um *animus/anima* não faz justiça à experiência em si. Por que deveríamos ser mais "dedicados" do que "obstinados"? Em situações que envolvem uma alta carga emocional, os dois lados do sentimento com frequência aparecem juntos, revelando um nível arquetípico da função sentimento: pesar e alegria, desejo e desgosto, amor e agressão muitas vezes se combinam num mesmo relacionamento, num mesmo momento. Por que isso não ocorreria também com os aspectos de introversão e de extroversão? Não poderia uma função introverter e extroverter ao mesmo tempo? Não seria possível observar e refletir simultaneamente?

Num tipo sentimental diferenciado, os dois lados da função operam em harmonia. Creio que a suposta "frieza" do tipo sentimental poderia ser explicada por essa harmonia entre sua relação envolvida com a situação exterior e seus valores subjetivos interiores. Essa frieza não passa de domínio de uma tensão que, para a maioria de nós, provocaria suores frios. Teríamos de sacrificar a adaptação para sermos "fiéis" ao que sentimos ou de comprometer nossos valores para nos conformarmos. Mas o tipo sentimental não precisa disso! Ele poderia "escapar ileso", por meio de uma excelente adaptação, sem ter de mentir para si mesmo, visto que o aspecto introvertido da função o mantém em contato com seus valores pessoais. Outro tipo, cuja função seja unilateral (introvertida *ou* extrovertida), teria uma crise moral e levaria a questão às dimensões existenciais da honra, da sinceridade, da verdade etc. O "sentidor" apenas digere no seu íntimo o aspecto exterior de suas ações, o caráter necessário destas e sua adequação ao contexto e ao seu principal valor: a manutenção de relações fluentes.

O sentimento extrovertido não deve ser confundido com a persona. Embora, na obra de Jung, ambos se refiram ao processo de adaptação, o sentimento extrovertido é uma função da personalidade, uma maneira de agir, podendo ser expressão de um estilo individual.

Por seu intermédio, a pessoa atribui valores e se adapta a valores sob formas que podem ser altamente diferenciadas, não coletivas e originais. A persona, por seu turno, é um arquétipo fundamental da psique que se refere à maneira pela qual a consciência responde à sociedade. A persona, no uso mais estrito de Jung, não é, portanto, um fator individual. Uma persona desenvolvida significa um reflexo desenvolvido do consenso coletivo. Quer sejamos prisioneiros, viciados, eremitas ou generais, podemos ter uma persona desenvolvida se nos comportarmos de acordo com os estilos e formas coletivamente pertinentes a esses padrões de existência. Trata-se de estruturas arquetípicas. O sentimento pode ter pouco ou nada que ver com essa adaptação, pois é possível ter um bom contato com o coletivo por meio do pensamento, da intuição ou da sensação. Em suma: em termos clássicos, a persona é um modo coletivo de desempenhar, um papel no mundo; a função sentimento é um instrumento individual de autoafirmação.

Em geral, o tipo sentimental costuma ser orientado pela função sentimento, o que significa estar a sua vida assentada nos valores de sentimento e nos processos de relacionamento. Ir além dessa afirmação simples seria cair outra vez sob a influência dos clichês segundo os quais os tipos sentimentais: a) têm mais sentimentos; b) têm modalidades especiais de sentimento, ou ainda, c) só têm sentimentos bons ou superiores.

Uma maneira conveniente e prática de distinguir o tipo sentimental é considerar o seu oposto. Lembrando com Moses Mendelssohn que não podemos sentir e pensar ao mesmo tempo e, com Jung, que sentimento e pensamento são incompatíveis, é de se esperar que as pessoas que na vida se orientam habitualmente pelos sentimentos tenham dificuldades com o pensar e com os pensamentos. Se sentir de maneira competente significa pensar de modo sofrível, seria natural encontrar os tipos sentimentais nervosos diante das ideias.

O tipo sentimental tende a ficar fanático e descontrolado no pensamento, mas o pensamento em si, que tem importância tão fundamental, não pode ser explorado nem cuidadosamente trabalhado por ele. Permanece doutrinário. Em vez de terem ideias, parece que as ideias os possuem. Costumam ler demais, e de maneira indiscriminada, ou não ler nada. A reação tudo-ou-nada é comum em outros campos em que o pensamento se apresenta; por exemplo, o planejamento bem pensado fica por demais exato ou descuidadamente mágico. O tipo sentimental pode muito bem devotar-se a uma ideia, mas esse programa ideacional com frequência se mostra arcaico, estranho, excêntrico. Por vezes, seus pensamentos aos sessenta anos têm ainda todo o esplendor pristino da época em que lhe surgiram pela primeira vez. Portanto, ele se sente prisioneiro das velhas concepções estreitas e mantém-se rígido, em vez de sério ou jovial, no campo do pensamento. Mesmo as ideias que tem acerca de si próprio podem padecer dessa maneira, razão pela qual aquilo que ele é e aquilo que ele pensa ser de modo algum se equivalem. O pensamento inferior apenas perpetua condições que não existem mais e acentua uma neurose, ao manter aprisionada numa estrutura inflexível uma personalidade que há muito a superou. Ele pode ser presa de bizarras preocupações especulativas com problemas lógicos e metafísicos, como a natureza da verdade e o fim do mundo. O sótão da sua mente cheia de móveis antigos pode, não obstante, tornar-se um depósito de obras criadoras, no sentido de que as partes inferiores desconhecidas da psique contêm a matéria da originalidade.

Capítulo IV

SENTIMENTO INFERIOR E SENTIMENTOS NEGATIVOS

A função pensamento inferior do tipo sentimental permite uma caracterização, e até uma caricatura, ao passo que a descrição do sentimento inferior, por ser um problema cultural geral e por ter, dessa maneira, aspectos históricos e coletivos, leva a águas mais profundas. O sentimento inferior abarca os problemas da nossa época, e este capítulo – e todas as palestras seguintes – vai ser uma tentativa de chegar a um acordo com essa inferioridade de que todos compartilhamos.

É necessário fazer uma ou duas distinções antes de prosseguir. Em primeiro lugar, ter sentimentos e usar a função sentimento não são equivalentes; por conseguinte, não se deve confundir entre ter sentimentos inferiores e usar a função sentimento de maneira inferior. Isso leva a uma segunda distinção: os sentimentos positivos e negativos, como *conteúdos,* diferem do *uso* superior e inferior da função sentimento. Posso muito bem ter sentimentos positivos de amor e de admiração por alguém e ser tão inferior na minha função sentimento que só tenha como modo de expressão desses sentimentos alguma grosseria impensada que nos embarasse. Por outro lado, posso sentir-me ferido e ressentido e ser capaz de transmitir-lhe diretamente esses sentimentos de um modo tão adequado que eles possam ser introduzidos na nossa relação e ajudar na sua continuidade. Os sentimentos como conteúdos da psique podem ser qualificados por um sinal positivo (+) ou negativo (-). Podem ser negativamente inferiores, nos vários sentidos do negativo, isto é, resíduos regressivos da infância, socialmente condenados, moralmente ruins ou, talvez, humanamente destrutivos. Mas esses sentimentos não são a função sentimento, que só pode ser considerada inferior quando funciona distorcida, imprópria ou inadequadamente. Uma marca de uma função sentimento superior, por outro lado, é o tratamento adequado dos sentimentos negativos e inferiores. Para ter essas diferenças bem claras na mente, referir-nos-emos ao sentimento como positivo ou negativo (mesmo que o sinal de mais e de menos seja em geral uma variável cultural), falando da função sentimental como superior ou inferior.

Essa distinção fica clara no nosso relacionamento com crianças. A expressão distorcida inadequada da função sentimento inferior – paladar sexualizado, hipocrisia melosa, falso louvor, grande incerteza, correção cruel – por parte dos pais provoca mais danos do que a expressão direta de sentimentos negativos – raiva, desgosto, pânico etc.

Para tornar a distinção ainda mais evidente, tentemos separar mais uma vez os sentimentos da função sentimento. Os sentimentos podem ser agradáveis e desagradáveis, construtivos e destrutivos, estimulantes e depressivos. Todos esses sentimentos, modos de sentir e estados de espírito pertencem à escala humana. Podem ser cruéis, viciosos e socialmente inaceitáveis, mas sua existência no interior da psique é parte da nossa natureza. São potencialidades da personalidade; a história humana mostra uma inacreditável gama de sentimentos possíveis. Sua justificativa é apenas a sua existência como parte da flora e da fauna do mundo psíquico. Nossas dificuldades concernem aos sentimentos dessa selva aos quais atribuímos um sinal negativo.

São esses os sentimentos de que queremos "nos livrar" ou "encontrar um lugar para pôr" e que costumam surgir sem que os desejemos nos momentos em que o ego perde sua capacidade de reprimir.

A depressão é um exemplo de sentimento negativo – isto é, um sentimento considerado negativo pela função sentimento, quer porque não gostamos do seu tom, porque não sentimos o seu valor ou porque ela não é aprovada pelo sistema de valores da cultura. Mas será a depressão "negativa"? A psicoterapia nos ensinou com acerto a importância vital de penetrar profundamente nas depressões a fim de reavaliá-las. Quando falamos do desenvolvimento do sentimento, referimo-nos a duas coisas. Em primeiro lugar, à admissão na consciência de todos os sentimentos que de fato se manifestem – mesmo que tragam um sinal negativo –, para que deixem de ser reprimidos. O fato de serem trazidos à luz da consciência proporciona-lhes um pouco de percepção e de controle. Passam então a ser conhecidos e até aceitos como parte do tom e do conteúdo. E esses sentimentos começam a modificar a consciência. Dessa maneira, ocorre uma integração, por meio da função sentimento, entre a personalidade consciente e o sentimento negativo. O ego deixa a sua marca pessoal nos sentimentos, ao mesmo tempo que estes alteram a postura convencional daquele.

Em segundo lugar, o desenvolvimento do sentimento significa uma evolução da função, que passa de sua estreita base subjetiva para uma adaptação mais livre. O excesso de subjetividade é o fator que produz uma intensidade de vida sentimental e a inadequação da expressão. Mesmo sentimentos com sinal positivo, como o amor e o júbilo, podem ser tratados de maneira inferior ou expressos do modo errado na hora errada. Portanto, uma função inferior ajuda a manter um depósito de sentimentos "negativos" ou mesmo a criá-los, com seus julgamentos errôneos. Não nos esqueçamos de que todo sentimento, quando tratado de maneira errada, pode tornar-se negativo.

Mesmo os sentimentos mais agradáveis e aprovados, como o amor altruísta e a adoração religiosa, podem ser carregados de intensidade ilusória e de excesso de subjetividade. De igual modo, qualquer sentimento – mesmo o mais peculiar e condenado, como a traição e o sadismo – pode ser fonte de percepção e de comportamentos apropriados nas mãos de uma função sentimento superior.

Quando atribuímos um sentimento inadequado aos nossos conteúdos de sentimento, estes assumem um valor distorcido; e é essa distorção que oferecemos ao mundo e às suas situações. Passamos adiante julgamentos e valores que não digerimos. Não são os sentimentos, mas a inferioridade do nosso funcionamento aquilo que nos leva a estragar os nossos prazeres e a ferir os nossos entes queridos. Distinguindo entre "negativo" e "inferior", fazemos o melhor para observar: a) que todo sentimento tem direito de existência, bem como um lugar apropriado, e b) que podemos confiar na função sentimento, que terminará por encontrar para cada sentimento seu lugar próprio e sua forma adequada.

Por exemplo, os *anseios nostálgicos* retornam repetidas vezes sempre que o ego baixa a guarda, por inércia, embriaguez ou por sentir de repente um certo odor. Aceitando-os, descobrimos que esses anseios não apenas se referem àquilo que um dia tivemos e que desejamos ter outra vez, como nos dizem que, naquele momento, somos incompletos. Essa falta de plenitude é expressa de modo inadequado, não pelos próprios anseios, dos quais não sentiríamos nenhuma falta, mas pelas imagens da memória a que eles se associaram graças ao fato de terem sido suprimidos. Quando começo a sentir que tenho um anseio, posso começar a descobrir o objeto do meu anseio, podendo iniciar nesse momento algum movimento na direção da reflexão e, talvez, da própria concretização desse anseio. Ou, para dar outro exemplo, a sentimentalidade musical evocada por música brega e palavras açucaradas não é um mero sentimento vulgar. Quando representa aquilo que de fato sinto e a posição a partir da qual sinto, essa sentimentalidade, espalhada pelo mundo por milhares de violinos ou vozes de garotos e guitarras, passa a ser o meu gosto pessoal, em vez de mero lamento do mundo por meu intermédio. Através de afirmações dessa espécie, encorajamos a função sentimento a confiar em seus valores e julgamentos, podendo ela, desse modo, afastar-se de suas preferências mais simples e das suas disposições obsessivas. Tal como ocorre com o pensamento, a criança não passa todos os anos de sua vida a fazer somas; ela logo quer operações mais complicadas do que essas para fazer. Quando damos aos sentimentos negativos a oportunidade de dizer o que querem, estes se tornam raivas e feiuras adequadas, discriminando os reais valores pertinentes à raiva e à feiura, ou então ficam tediosos e desaparecem.

São particularmente importantes para o desenvolvimento do sentimento os próprios sentimentos negativos, aqueles que levam o sinal de menos (-): inveja, ódio, arrogância, queixume etc. São eles em especial que exigem coragem e honestidade, bem como paciência, na nossa convivência com eles. Relacioná-los de modo apropriado com os conteúdos da consciência ou relacionar-se adequadamente com eles nas situações em que são necessários são por certo sinais de sentimento superior. Eis por que o inimigo é importante e por que os aspectos negativos dos relacionamentos constituem parte tão essencial da vida. Os vínculos mais profundos oferecem uma oportunidade para a manifestação de sentimentos negativos, enquanto o local usual em que costumam ser despejados – a família – é apenas envenenado por eles. Todavia, os sentimentos negativos de uma pessoa de função sentimento inferior costumam ser reprimidos em excesso e, em consequência, tão carregados que deixam de ser sentimentos para se tornarem afetos. Basta acentuar aqui o fato de a educação do sentimento negativo *não* significar a sua transformação no seu oposto, a mudança de todas as antipatias em simpatias, nem de todos os inimigos em amigos.

Um indício inicial do sentimento inferior é a perda de contato da pessoa com aquilo que sente. A matéria e a substância da função sentimento são em geral sentimentos (o que não quer dizer que essa função não avalie também pensamentos e sensações). Mas quando a função sentimento é inferior e, por assim dizer, vai para a clandestinidade, vai com ela uma consciência orientadora daquilo que se sente, que se quer, de quem se gosta etc., sendo estes substituídos por uma secura geral com relação a si e aos outros, seguindo-se a isso reações-complexos indiscriminadas: todo tipo de sentimento deslocado, lágrimas na hora errada, brincadeiras esquisitas, apegos e entusiasmos peculiares, emissão de julgamentos de valor quando estes não são relevantes e oscilações generalizadas de humor que variam da exaltação geral à depressão geral.

O esforço de manter a consciência com uma função não primária costuma ser demasiado difícil. A função parece surgir e sumir, não se mostrando como um instrumento útil sempre à disposição das minhas necessidades e intenções. Uma função inferior requer uma quantidade desproporcionada de energia: é deveras extraordinário, por exemplo, o tempo que um tipo sensação introvertido pode despender em fantasias com relação ao futuro, em negativas intuições paranoicas. Do mesmo modo, podemos ver quanta energia é consumida num relacionamento em que um dos parceiros insiste no nível do sentimento pessoal e, ao mesmo tempo, um deles, ou ambos, tem sentimento inferior. O casamento muitas vezes reflete essa situação: discussões intermináveis e um infinito investimento no sentimento, porque a função simplesmente não funciona por si mesma. Então, em vez de sentimento, temos sentimentos: ressentimentos, necessidades, desejos, queixas.

Podemos perceber quando a função sentimento se aparta da consciência. De súbito, não sentimos nada ou surge uma onda de sentimentos negativos em que nada pode ser tratado de modo adequado, resultando em ansiedade e culpa. Estamos falando e, de repente, a nossa voz começa a voltar para os nossos próprios ouvidos: a outra pessoa se entediou, o relacionamento perde interesse, as palavras proferidas já não têm importância. Alfred North Whitehead (*Modes of Thought*) deu um lugar privilegiado à palavra "importância" na sua filosofia: ela se refere ao aspecto do sentimento. A função sentimento pode atribuir importância às coisas para além de sua significação factual e o sentimento inferior priva os assuntos mais sérios do seu significado ou exagera questões insignificantes, dando-lhes ares de grande importância. Os demagogos têm essa capacidade de valorizar questiúnculas por meio do sentimento.

O sentimento inferior atribui às coisas valores errôneos; seu principal desastre ocorre na sua manifestação introvertida, quando a pessoa atribui o sentimento errado a si mesma. Nesse caso, o autojulgamento é distorcido e impróprio. O indivíduo sente-se inferior apenas por causa de uma função sentimento inferior. O restabelecimento da conexão consigo mesmo requer com frequência o contato renovado com os complexos, por meio dos sonhos, e com o ciclo imediato de amigos, familiares e colegas, em que o sentimento costuma ser expresso de maneira menos taxativa. Mas quando a função é inferior, sentimo-nos apartados; os sonhos são sentidos como inimigos, o círculo imediato é experimentado apenas como uma exigência. A função sentimento perdida é projetada: "Todos esperam sentimento de mim".

Sentir o próprio valor não é nada fácil. Os pacientes esperam que os analistas os tranquilizem; os analistas esperam a confirmação por parte dos seus pacientes. Perdemos contato com a nossa própria importância, alternando entre a falta de valor depressiva e as ilusões de grandeza. De um lado, exigimos demais e, do outro, vendemo-nos barato; a confiança em nós mesmos é abalável. Diante da derrota, o sentimento inferior não pode discriminar e particularizar a área específica de inferioridade, generalizando-a num sentido devastador de desmerecimento. Não erramos um degrau; rolamos escada abaixo. Um *faux pas*, um fracasso, um encontro confuso – a isso se resume tudo. Não se trata de uma derrota existencial que tenha como significado a perda de tudo ou a constatação de que não prestamos em absoluto. A tarefa é aprender álgebra ou desculpar-se por um insulto, e não afastar-se sombrio e percorrer as ruas à noite examinando o próprio caráter e destino. O sentimento pode funcionar como uma defesa ou filtro que evita o abalo de toda a personalidade por parte desses níveis arquetípicos de desastre. Fala-se do sentimento, em termos clássicos, como a função "humanizadora", como se, ao sentir, a pessoa se tornasse "humana". Essa é, na verdade, uma noção confusa e sentimental, mas diz ao seu modo que o sentimento pode distinguir entre aquilo que é autenticamente uma falta e culpa pessoais e o nível arquetípico de desespero, com seu profundo sentido de pecado, miséria e vazio.

Isso nos leva à culpa. Quando há mais sentimentos do que a função pode administrar, há uma culpa interior com relação aos próprios sentimentos. Devemos algo; os sentimentos não foram separados, não tomamos consciência deles nem os declaramos. Aqui, interfere uma vez mais uma atitude cultural, pois não "se espera" que apresentemos alguns sentimentos "negativos" (nossas invejas e ambições, a grosseria que gostaríamos de ter, nossas impressões de inferioridade e de desespero). Nos novos grupos de encontro, onde a apresentação de sentimentos negativos é *de rigueur*, a culpa é mais uma vez constelada, agora por outras razões. Não podemos dissipar os sentimentos de culpa num fim de semana. Comunicá-los e expressá-los é apenas meio sentimento. Há segredos que temos de guardar em favor da individualidade; há coisas sagradas. Ademais, uma tentativa de acabar com a culpa deixa de lado a realidade desta como componente fundamental e existencial da nossa natureza ocidental. A culpa de que nos livramos apenas retorna como a culpa de ter culpa. Freud entendeu-lhe a realidade e a entronizou como o superego. Curiosamente, contudo, a culpa apoia o ego; ela me faz sentir que aquilo que aconteceu é "meu", levando a minha falta a ser atribuída diretamente a "mim". A culpa impede que as coisas que dão errado fiquem no nível dos eventos ruins ou infelizes; estes se tornam problemas que o ego tem de resolver. Assim, ela serve ao ego e fortalece o seu controle, permitindo-lhe até estender o seu alcance a eventos reais mediante o sentimento de "responsabilidade". Mas os deuses são responsáveis, e nós o somos perante eles, e não diante dos, e pelos, eventos. A falta real pela qual nos "sentimos culpados" pode residir na inferioridade da função sentimento, razão por que os sentimentos de culpa são indícios de inadequação e impropriedade. Mais uma vez, a culpa se dirige em parte à função, ao não lhe permitir o seu exercício, em vez de apenas dirigir-se aos eventos que parecem ser a sua causa. Em última análise, a nossa culpa tem como objeto os deuses, sendo essa perspectiva arquetípica passível de ser considerada o verdadeiro propósito da culpa: recordar-nos, por meio da função sentimento, da nossa negligência em relação aos deuses.

A culpa com relação aos filhos – de que não fizemos o que deveríamos por eles, nem os amamos como deveríamos ter amado – ou aos pais, pelas mesmas razões, é uma culpa imposta pelo sentimento. Essa culpa diz que há leis do sentimento a serem observadas, que os relacionamentos não são apenas humanos e pessoais, que há princípios arquetípicos de sentimento a que se deve obedecer. Devemos algo ao próprio sentimento. Podemos sentir-nos culpados, acreditamos nós, *por causa* dos complexos, em razão das faltas que eles produzem no nosso comportamento; e, no entanto, há também uma culpa – senão a mesma – *diante* dos complexos. Nossa responsabilidade é, em princípio, para com eles. Os sentimentos de culpa podem ser voltados sobre si mesmos mediante a investigação daquilo que há neles que está em dívida diante do complexo, do cuidado e da consciência dos nossos tipos específicos de inadequação. Como a culpa torna tudo muito pessoal, escapa-nos o sentido da culpa impessoal. Não apenas devo algo aos meus próprios sentimentos, como existe uma culpa impessoal com relação ao sentimento e aos valores em geral. Quanto menos a reconhecemos, tanto mais essa culpa faz pressão sobre os assuntos pessoais: por isso, as culpas acumuladas com relação ao corpo, ao dionisíaco, ao feminino e ao sombrio, bem como com respeito aos seus sentimentos depressivos associados, tornam-se culpas pessoais diante dos fracos e oprimidos, aparecendo essa culpa nas relações pessoais com os desprivilegiados, com os negros e com o físico. A culpa é a própria função, culpa de não realizar a sua função, visto que uma atividade não usada é culpada pela sua própria inatividade. A carga de sentimentos de culpa que carregamos em nossa cultura não é o mero superego de uma ética protestante; há uma profunda culpa com relação ao sentimento, uma culpa do sentimento, existente no interior do sentimento.

Outro hábito do sentimento inferior é a sua manifestação parapsicológica. Quando o sentimento tem um componente intuitivo e é radicalmente dissociado da consciência, o que ocorre muitas vezes com médiuns e com outras pessoas dotadas de dons parapsicológicos, podem ser mantidos relacionamentos pessoais, não por meio de uma relação consciente e do interesse humano pelo outro, mas através do inconsciente, em estranhos eventos sincronísticos ou sonhos e orações. Esses eventos evocam as fortes emoções da crença mística. Acredita-se numa ligação determinada pelo destino, num vínculo que transcende o espaço e o tempo, em dois corações que batem como um só. Apesar dessa beleza oculta, a simples comunicação humana não serve, sendo substituída por milagres e feitiçarias. Por vezes, um telefonema é mais humano e eficaz do que as orações de intercessão. Comunicação telepática significa apenas sentimentos (*pathos*) a longa distância (*tele*). A percepção extrassensorial (PES) pode ser considerada uma atividade da função sentimento quando esta deixou cair a linha da comunicação direta. Quando a distância psicológica entre as pessoas é demasiado grande, quando estão humanamente longe uma da outra, a função inferior, substituindo a relação distorcida, opera autonomamente por meio de eventos de PES. Eventos sincronísticos, sonhos com o(a) parceiro(a) e ocorrências estranhas podem tornar-se truques para encobrir os dolorosos desafios da decência humana.

Caso a intuição seja uma função inferior e se misture com o sentimento de maneira indistinta, as percepções acerca das pessoas tornam-se hiperpessoais e avaliativas. Por si só, a intuição, tal como a sensação, apenas relata observações discretas, usando a faculdade da percepção, percebendo eventos e jogando com as suas possibilidades e significados. Mas o sentimento não deixa as percepções sozinhas; o que não passa de simples fatos e observações para as funções perceptivas, que não julgam nem avaliam, e sequer organizam as percepções entre si, o sentimento inferior tem de organizar em vícios e virtudes. A intuição do sentimento jamais se contenta em ver; quer também estabelecer vínculos. Quando essas funções são inferiores, vemos à luz de valores errôneos e estabelecemos relações a partir de falsas percepções. Muito do que consideramos paranoide acontece dessa maneira. Atribuímos motivos torpes e valores ruins aos outros de maneira deveras pessoal, tendo formado esses sentimentos apenas com base em suspeitas e supostos indícios. Essas percepções e avaliações errôneas não são somente projeções "a serem retiradas", mas sim manifestações do sentimento, que tentam compreender e avaliar um mundo em que esse sentimento é um tanto cego e claudicante.

O sentimento inferior tem problemas para defender seus sentimentos. Tem dificuldade para sustentar seus próprios princípios e valores, em especial se tiver de cumprir alguma tarefa desagradável ou ofender alguém. Um homem que dirige uma organização pode ser incapaz de demitir um(a) secretário(a) ineficiente ou desleal; o genitor que se encarrega da punição dos filhos costuma ser aquele que tem a melhor função sentimento; um analista com sentimento inferior será incapaz de lidar com a agressividade pessoal e do analisando.

Quando tem de fato um princípio a defender, o sentimento inferior pode, com efeito, exagerar. Nas mulheres, o *animus* vem ajudar nos exageros. Uma mulher rompe com o parceiro como se fizesse uma operação cirúrgica ou como um arquiteto, de acordo com uma planta. Seus valores estão envoltos em ferro e ela consegue um advogado para defendê-los! Se o namorado ou marido desejar vê-la outra vez, ela será inflexível, dizendo que "não vê razão" para um encontro. As coisas são simplesmente despejadas; é apenas a *anima-pathos* do parceiro. A razão para vê-lo pode ser o próprio sentimento, mas o sentimento inferior não faz uma autoavaliação; sua energia concentra-se apenas nas avaliações, na formulação de sentimentos e afetos e na reação tudo-ou-nada de "apaixonada" ou "brigada".

Quando há ingredientes de sensação no sentimento inferior, o conteúdo sensório do sentimento, seu componente físico, confunde-se com o processo de avaliação. Então, simplesmente não podemos distinguir o sentimento de tristeza e depressão da má saúde física, ou confirmamos um casamento feliz em termos de relação sexual, embora sejam frequentes os casamentos e relações amorosas com pouco conteúdo sensual, no qual a sensação não tem de transmitir o sentimento. O sentimento pode ser expresso em formas altamente abstratas, podendo os relacionamentos ter continuidade durante as separações.

Para resumir, o sentimento inferior pode ser caracterizado pela contaminação com o reprimido, que tende a se manifestar, como o diriam os escolásticos, em *ira* e *cupiditas*. O sentimento inferior está carregado de raiva, de ira, de ambição e de agressão, bem como de voracidade e de desejo. Vemo-nos aqui com enormes solicitações de amor, imensas necessidades de reconhecimento, descobrindo que a nossa ligação com a vida em termos de sentimento é uma vasta expectativa composta por milhares de frágeis ressentimentos raivosos. Deu-se a essa expectativa o nome de fantasia da onipotência, a expressão da criança abandonada com seus sentimentos negligenciados de quem ninguém quer cuidar mas será isso o bastante? A onipotência é mais do que um conteúdo; ela na verdade exprime, tal como o faz a criança, um funcionamento empobrecido que insiste em mais agitação e exercício. Sem esse exercício, o sentimento volta-se para si mesmo, morbidamente; ficamos invejosos, ciumentos, deprimidos, alimentamo-nos de necessidades e de sua satisfação imediata e, por isso, corremos intermitentemente em busca de alguém a quem ajudar ou a quem pedir ajuda. O gato negligenciado torna-se o tigre inconsciente.

O sentimento diferenciado é o gato, com seus pequenos movimentos. Talvez possamos definir o sentimento como a arte do pequeno – a minúscula diferença, a ênfase sutil, o pequeno toque. Ele pode acompanhar o desabrochar de um relacionamento, alimentando-o, poupando-lhe as forças. Podemos distinguir entre necessitar e exigir, entre aquilo de que gostamos e aquilo que queremos; podemos ir às compras sem comprar. Ou, inversamente, podemos por fim comprar sem ir às compras, pois sabemos o que sentimos. Podemos apreciar e agir sem o vínculo erótico pessoal de que tantos sentimentos falsa e laboriosamente dependem, com a sua cantilena: "quero isso para mim, quero isso para mim"...

Capítulo V

SENTIMENTO E COMPLEXO MATERNO

A dificuldade com que deparamos para reconhecer o tipo sentimental pode ser atribuída parcialmente ao fato de que tudo o que passa por sentimento não é uma expressão da função sentimento. Esses substitutos e distorções do sentimento vêm em geral do lado "feminino" da psique. Acredita-se que feminilidade e sentimento sejam feitos um para o outro. Por vezes dizemos que o sentimento é "feminino" e que ser "feminino" é sentir. Mesmo sem aceitá-lo, temos de reconhecer que na nossa civilização, seja como for, o sentimento é posto nas mãos do feminino a fim de ser moldado, razão pela qual é determinado de modo excessivo pelas mulheres. Primeiro as mães e depois as irmãs e tias, avós e professoras, bem como amores da infância, exercem sua influência no desenvolvimento da função sentimento de homens e mulheres. Os valores do comportamento social e os julgamentos formados, da etiqueta à maldade, todos os "quês" e "comos" que devemos sentir, são-nos dados pelas mulheres, da professora de dança e da decoradora à garçonete e à vendedora. A função sentimento transformou-se na "Mãe" de Whistler*, uma pequena velhinha cheia de doces admoestações; e nós misturamos esses seus delicados conselhos com a voz da natureza, de maneira que, às vezes, essa Pequena Velhinha é substituída pelo Velho Sábio. Confortadores clichês acerca da "vida" e do seu "curso natural" tomam o lugar da sabedoria perceptiva. O psicoterapeuta, forte e bem-vestido, barbudo e fumador de cachimbo, pode então não ter nada a dizer além de um provérbio de calendário de Ano-Novo, porque sua cordialidade e sua boa "sabedoria" experiente são representações coletivas do "bom sentimento" que o complexo materno espera de todo bom Papai. Por conseguinte, não causa nenhum espanto verificar que o complexo materno e o complexo da *anima* sejam responsáveis, ao longo da vida, por muitas desordens da função sentimento.

O complexo materno é básico para os nossos sentimentos mais permanentes e intratáveis. Nesse sentido a mãe é, como diz Jung, destino. Esse complexo é, desde a mais tenra infância, a permanente estrutura que aprisiona nossas reações e valores, a caixa fechada e as paredes que nos cercam por todos os lados. Enfrentamos a mãe, como destino, sempre e outra vez. Não apenas os conteúdos dos sentimentos, como também a própria função, formam padrões a partir das reações e valores que passam a existir no relacionamento mãe-filho. A maneira como nos sentimos com relação à nossa vida corporal, a nossa autoconsideração e confiança físicas, o tom subjetivo com o qual assimilamos o mundo e nos apresentamos nele, nossos temores e culpas básicos, o modo como nos relacionamos no amor e nos comportamos na intimidade e na proximidade, nossa temperatura psicológica em termos de frieza e de calor humano, nosso sentimento quando estamos doentes, nossos modos, nosso gosto, nosso estilo de alimentação e de vida, estruturas habituais de relacionamento

---

* Pintor e gravador norte-americano do século XIX. (N. T.)

pessoal, padrões de gesticulação e de tom de voz – tudo isso traz em si as marcas da mãe. E, para uma mulher, o complexo materno entra em jogo particularmente no tocante aos sentimentos de identidade pessoal e aos sentimentos sexuais. Essas influências sobre a função sentimento não têm de ser copiadas da mãe pessoal, nem contrárias a ela, para que o complexo materno demonstre seus efeitos. O complexo materno não é a minha mãe; é um complexo meu. É a maneira pela qual minha psique incorporou a minha mãe. Por trás dele está a *Magna Mater.*

Nossa civilização não oferece veículos adequados para a *Magna Mater.* A mãe positiva e nutridora não faz o que é devido; não podemos tirar alimento dela num supermercado, numa cozinha moderna, num livro pornográfico. As cidades nos esgotam; o que sustenta o sentimento num dia de compras? Aquilo que esse arquétipo pode oferecer como abrigo, confiança e profundidade de perspectiva à labuta cotidiana está em falta. Para onde se voltam as mulheres em busca de um modelo para a sua função sentimento? Assim, a mãe transmite medo e incerteza às filhas, já que o mistério mãe-filha arquetípico, bem como o tipo correto de assombro e de ambivalência, não têm um lugar apropriado. Quando faltam Deméter e Perséfone, Hécate vem sozinha, havendo então um temor geral dos sentimentos negativos: medo de concretizar a raiva dos filhos, medo de concretizar o aspecto de morte em seu amor e a feitiçaria em sua inteligência. Como poderia ela confiar nos próprios sentimentos se eles se acham tão cheios de qualidades "negativas"? Onde colocar seu aspecto destrutivo? Sem a perspectiva arquetípica, a natureza recebe uma definição unilateral, exclusivamente boa, e tudo o que não esteja de acordo com isso é considerado "não natural" e negativo.

Para estudar exaustivamente o desenvolvimento do sentimento sob a influência do complexo materno, teríamos de passar para a mitologia. Esse, contudo, não é o objetivo destas palestras, que se restringem ao nível da função sentimento no âmbito da psicologia da consciência tal como descrita por Jung nos seus *Tipos Psicológicos*. Mas a *Magna Mater* continua presente nas intensas reações de muitas mulheres, em especial no tocante aos sentimentos vinculados com a maternidade. "Eu não sou a sua mãe" – elas adoram anunciar isso ao companheiro que está abatido. Elas negam os filhos, odeiam-nos, recusam-se a tê-los, recorrem ao lesbianismo ou a defesas maníacas – qualquer coisa que as impeça de se tomarem "a mãe" e de experimentarem esses sentimentos.

Quando a intensidade do sentimento vinculado com o – ou melhor, dominado pelo – complexo materno alcança as proporções do afeto, encontramos a fonte mais profunda do sentimento. Nesse caso, a função sentimento não está livre para operar como instrumento da consciência, mas traz consigo raivas violentas e exageros passionais de toda espécie. Esses afetos esmagadores que inundam o recipiente da função sentimento podem provocar tamanho sofrimento, uma impotência tão profunda que nos vemos preferindo não sentir nada a correr o risco, cada vez que tentamos usar a função sentimento, de ser cobertos pela forte onda de que ela se origina. Para evitar que o sentimento seja levado pela reação, preferimos não reagir. Assim é o trabalho do complexo materno no sentido de manter o sentimento sob o domínio do afeto e de nos privar do seu uso.

Essa situação produz a forma peculiar de deficiência dos homens com um forte complexo materno. (Os sonhos mostram animais feridos, sangramento, cirurgias cardíacas etc.) É demasiado familiar essa falta de resposta, a incapacidade de agir, de manter a coisa caminhando, essa indiferença e esse distanciamento vagos sob os quais intuímos uma devastadora tempestade. Nesse caso, a função sentimento é substituída com frequência por uma máscara de sentimento (a persona), cheia de polidez e consideração artificial, que pode atingir uma hiperacuidade em termos de sensibilidade e estética superficial.

O envolvimento com um homem assim aprisionado deixa a impressão de que ele "não está bem aqui". O que não está aqui é uma consciência dos próprios sentimentos. Ele é incapaz de trazê-los à cena. Ele e o relacionamento são sempre vítimas dos próprios caprichos. Tudo é imprevisível, o que não equivale – embora tais homens possam gostar de acreditar – a criativamente espontâneo. A questão que ocorre tão naturalmente ao outro nessas ocasiões – "Como você se sente?" – libera, se o homem acossado pelo complexo materno puder dar alguma resposta, uma onda caótica que faz surgir todo tipo de peixes – autopiedade, anseios tristonhos, desejo sexual, ambições infladas, ressentimentos amargos, lugares-comuns e, por fim, a apatia que os engole a todos.

Como a expressão do sentimento é acompanhada por um sentimento de lealdade àquilo que foi expresso, a inibição da expressão danifica particularmente a função sentimento. A explosão do afeto não se faz acompanhar disso; podemos explodir e esquecer de tudo, sem responsabilidade. Mas o sentimento nos envolve e nos compromete de modo curioso com o que foi expresso, um fenômeno que nos diz muito acerca da maneira pela qual a função sentimento se desenvolve principalmente por meio da expressão de sentimentos. O complexo materno inibe a expressão, como se "ela" tivesse tido a intenção de evitar o uso de qualquer sentimento fora da área de influência de suas exigências de afetos (ou de indiferença). O sentimento deve ter "nela" a sua fonte e o seu alvo. (Podemos avaliar a submissão ou não da nossa função sentimento ao complexo materno observando a semelhança ou diferença entre as formas das nossas avaliações de sentimento e as da nossa mãe real, ou dos seus substitutos em grupos de companheiros, classes escolares, clubes, igrejas etc.) Dificilmente poderemos ter a função sentimento nas próprias mãos, como instrumento da consciência, enquanto não a tirarmos das mãos "dela" como a dominante arquetípica do inconsciente que rege o passado, a carne e a nossa intimidade mais profunda. A luta corpo a corpo com a espada do logos e o cinturão viril da ação é menos bem-sucedida do que o retorno incestuoso.

Quando fala de "retorno incestuoso à mãe", a terapia refere-se à ida para as profundezas emocionais a que a função sentimento está presa. Nessa união com a nossa própria emocionalidade, encontramo-nos no lugar mais íntimo e sensível de nós mesmos, mas com frequência é bem aí que a consciência tem as raízes fincadas. Somente o retorno incestuoso pode libertar o sentimento para que este funcione para mim; meus sentimentos, aqui, parecem ser os meus pertences pessoais, o meu tesouro, como o diriam os mitos, guardado pela mãe-dragão de frieza réptil e paixão abrasadora, ou pela própria bruxa que pode fazer de nós tocos anões, passarinhos apáticos ou, simplesmente, pedras. O incesto, nesse momento do desenvolvimento do sentimento, significa permitir a si mesmo o contato direto com as mais sombrias paixões sangrentas, com os verdadeiros anseios a serem sustentados, transmitidos e cuidados, com as raivas e fúrias desinibidas. É um caminho tântrico, se o vemos pelos olhos hindus. Imergimos nos *kleshas*, os vínculos com a Mãe-Deusa. Significa ir ao ponto em que o coração está de fato, em que realmente sentimos, mesmo que seja nos punhos, nas vísceras ou nos órgãos genitais, em vez de ir onde o coração deve estar e ao modo como devemos sentir.

Muitas coisas sombrias ocorrem nesse retorno incestuoso – estamos outra vez no reino das "mães", onde a função sentimento encontra impulsos suicidas, desespero, desmembramento, um sentido de horror e de podridão (putrefação), famintas necessidades orais na forma de desesperadas ânsias e compulsões. Por meio do retorno a esse nível, a função sentimento pode selecionar os valores dessas experiências e estabelecer um relacionamento com o chamado lado negro da psique. Se isso não tiver ocorrido, se o sentimento introvertido não tiver funcionado através do reconhecimento do valor dessas experiências, tornamo-nos vítimas do incesto. De vital importância em toda crise ou colapso é a descoberta do *valor* que têm, o qual precede o seu significado. Quando não fazemos a avaliação das nossas confusões neuróticas e psicopáticas, perpetuamos a confusão e perdemos a oportunidade de libertar o sentimento da mãe.

Na situação prática de um relacionamento humano em que uma pessoa quer ajudar outra em termos de sentimentos, a mãe que tem o sentimento preso a si pode ser enfrentada com a mesma constelação da maternagem.* (Como diz Jung: "Porque 'o que foi tirado pelo pai' só pode ser restituído por um pai, da mesma maneira como 'o que foi tirado pela mãe' só pode ser reparado por uma mãe". *Mysterium Coniunctionis*, p. 182; cf. *I Ching*, Hexagrama 18.) Constelar a boa mãe num relacionamento significa, tão só, maternar, cuidar, apoiar e nutrir, ser gentil para com a fraqueza, para com o desnorteamento e a infantilidade do outro sem se sentir ameaçado, confuso e explorado e sem se tornar hiperativo e terapêutico. Pouco importa a profundidade do caos e do desespero de uma pessoa; o retorno incestuoso pode ter um resultado valioso se o parceiro incentivar a pessoa a se aprofundar ainda mais nesse estado. (Como ocorre com toda regra ou conselho, há exceções e contra-indicações definidas, em especial no tocante ao complexo materno, visto que suas profundezas últimas estão arquetipicamente além da vida.) A principal questão no constelar a boa mãe é manter-se embaixo, aparando a queda, para que o medo da desintegração e da impotência possa ser enfrentado com apoio. O apoio da mãe positiva é a nutrição indiscriminada. Ela põe um sinal positivo em toda emoção e em todo sentimento, a fim de redimi-los do exílio na culpa e na vergonha. Quando a pessoa é reduzida à impotência infantil pelo caos de sua emociona-

---

* Derivado do verbo *to mother*, servir de mãe, criar etc. Ver, nesse sentido, *O Pai*, São Paulo, Ed. Cultrix, 1989. (N.T.)

lidade e pelo fato de a função sentimento, sob o férreo controle da mãe severa e crítica, ou sob o veneno sutil da Velhinha delicada, apenas admoestar e repreender, é o vívido interesse do outro que age como uma parteira no vir à luz da nova função. A marca da boa mãe não é a gentileza suavezinha cheirando a leite, nem a fraca dieta da aceitação, mas o *ativo interesse vivaz,* tudo aquilo que estimule e que, por conseguinte, promova o crescimento, ao adiar toda discriminação entre erva daninha e flor para uma época ulterior. Ela choca todos os ovos ao mesmo tempo. É um sutil artifício da mãe crítica a escolha entre sentimentos nascentes, o que só serve ao desenvolvimento de uma suscetibilidade à crítica prematura, aleijando a função sentimento e cortando-a em botão ao decidir cedo demais o que é bom e o que é ruim.

O retorno à mãe em benefício do sentimento não pode deixar de nos transformar outra vez em garotos e garotas, de maneira sobremodo inadequada e, no entanto, autêntica. Ora, se o retomo é indicado por explosões ou queixas choraminguentas, a nutrição não significa aqui tanto alimentar a neurose como vincular-se a ela. Ao atribuir valor à raiva ou à queixa e ao encorajar-lhe a expressão por meio do sentimento, fazemos com que ele se dirija para a consciência.

Os mitos do herói mostram que o desenvolvimento da masculinidade parece ser um movimento contra o complexo materno. Mas esse desenvolvimento não ocorre apenas por meio da conquista da mãe através do mundo masculino, da superação da inércia, da tomada de decisões e da assunção de uma posição. Ler e saber mais, decidir e agir, adquirir músculos e obter competência no mundo de homens másculos não formam um homem. Se a função sentimento não for libertada, podemos ser chamados de volta ao lar a qualquer momento. O acesso aos próprios sentimentos e o uso da própria função sentimento são a demonstração da liberdade.

Os homens "másculos", para demonstrar a força dos seus sentimentos, mostram-se grosseiros, rudes, insensíveis ou falsamente paternais. Compensam a labilidade e a sensibilidade com a vileza empedernida, sem demonstrar nenhuma fraqueza – até o infarto ou o colapso. Neste caso, a função sentimento foi estilizada, tomando-se estereótipo de uma explosão de riso, de calor humano ostensivo, de tapinhas paternalistas ou de quaisquer outros modos "másculos". Mas os estereótipos são mecanismos; a função ainda se acha submetida à mãe, não tendo descoberto o seu próprio caminho. Logo, o homem másculo tem correligionários e serviçais que transmitem seus sentimentos por ele, prestando-lhe honras; e as manipulações de poder afetam todos os seus relacionamentos, cuja base é dar e receber. Quando o complexo materno governa o sentimento por intermédio dessa compensação máscula, o vínculo com os outros tem uma capacidade de barganha além do comum. Em tudo isso, há a ansiedade diante do possível colapso e a necessidade de apoio.

Como protege a pessoa da vida, o complexo materno a impede de sentir o que ela sente. Os sentimentos nos tornam envolvidos, razão pela qual a mãe tem de nos afastar deles. Nessa circunstância, a vida sequer chega até nós, que ficamos intocados e intocáveis, em parte por não sentirmos e, em parte, por sentirmos demais – cada poro é uma ferida. Alternativamente, a mãe pode nos inflar, protegendo-nos ao nos manter alheios a tudo e superiores, provocando a perda do toque humano.

Dizem esses homens: "não me toque"; eles não podem aguentar que alguém os tome nos braços. Ser tocado, física ou psicologicamente, apenas recorda-lhes suas próprias respostas inadequadas, seu próprio sentimento inferior. A mais difícil posição para o homem que luta com esse problema é a defesa dos próprios sentimentos negativos, pois são exatamente estes que o complexo materno condena.

São justamente estes que oferecem a experiência de liberdade quando admitidos e expressos. Que liberdade nos dá recusar um convite, explicar por que não gostamos de algo, exprimir em palavras um ressentimento há muito alimentado ou uma irritação! A expressão de sentimentos negativos por meio da função sentimento traz consigo uma nova energia e um sentido de libertação. Do mesmo modo, ao sentirmos o que sentimos, fomos capazes de rir diante da cabeça da Górgona e dos seus críticos moralismos repressivos com relação ao sentimento.

A paralisia constelada pelo complexo materno, em todos os assuntos que requeiram o sentimento, é mais bem trabalhada, portanto, mediante a descoberta dos próprios sentimentos acerca de pessoas, lugares, coisas. O homem "másculo" deixa a esposa decidir sobre essas questões menores; pouco lhe importa como ele mesmo se sente e, de fato, ele com frequência não sabe se está feliz ou triste até que algum membro da família lhe diga. A mãe interior rege há tanto tempo os estereótipos do seu sentimento com relação a si mesmo e ao seu mundo que ele simplesmente nada percebe do seu valor como pessoa, dos seus valores, nem dos aspectos éticos, estéticos e relacionais do seu estilo de vida.

A interferência do complexo materno na função sentimento pode ser atacada por tipos de virtudes masculinas diferente daquela espécie dura que mencionamos. Por exempio: é importante que a pessoa descubra valores de sentimento em suas próprias ações, sem restringir-se a valorizar a ação pela ação. É importante sentir por que e com que propósito se age, sentir o que se quer e aquilo de que se gosta, bem como saber quais valores são expressos por meio do que se faz. É importante entrar em situações nas quais haja um conflito de interesses para cuja solução a função sentimento contribua.

A amizade é de maior importância. A ambivalência do complexo materno é combatida pela permanência, pela lealdade e pela fidelidade. Essas são virtudes da amizade que sempre ocuparam os filósofos da moral. Aristóteles dedicou vários livros à amizade na sua *Ética*, Cícero, Sêneca e Plutarco escreveram sobre isso, prosseguindo essa tradição, para dar um exemplo, em *Creative Fidelity*, de Gabriel Marcel. Pouco importa o grau de suposta liberdade de um homem diante do complexo materno; se não tem amigos, mas uma mera multidão superficial de conhecidos, algo ainda interfere na sua função sentimento. O complexo materno inibe lealdades e apegos; põe questões referentes à confiança numa fórmula de dependência e traição. Para manter-se salvo e seguro, evitando ferir e ser ferido, o indivíduo tem muitos amigos inconstantes e nenhuma amizade duradoura. A amizade, nos escritos clássicos, era tida como algo reservado para a maturidade; representava o relacionamento ideal entre homens livres e iguais. Por indicar uma redenção da função sentimento diante do complexo materno, uma análise se torna muitas vezes uma amizade. A análise, por ser terapêutica e de apoio, constela a mãe; ela não é tão livre quanto uma amizade, razão por que sua premência em se transformar nesta última reflete em parte a necessidade de deslocamento da função sentimento da relação analítica para outro lugar. Isso por vezes funciona; outras vezes, não dá certo.

Diante de tudo isso, podemos concluir que o caos emocional não é algo de que devamos nos livrar, nem uma coisa por que devamos passar. Podemos cair nele repetidas vezes sempre que surjam novos valores ou toda vez que a função sentimento amplia seu próprio alcance. As idades do homem ou estágios da vida implicam transições contínuas e novos usos da função sentimento. Como o complexo materno, na qualidade de nossa inconsciência fundamental, constela o ego na sua infantilidade, é doloroso regredir a infantilismos. Tememos essas quedas, preferindo até não ter nenhum sentimento caso este seja o preço a pagar. Trata-se de uma coisa humilhante. Embora falem muito da humildade, as religiões não nos falam dela senão em termos de virtude, o que já não tem nada de humildade, mas é apenas uma nova forma de orgulho. Ser fraco e impotente em termos dos próprios sentimentos, manter-se leal aos próprios sentimentos negativos, ser levado de volta à própria infantilidade – e tudo isso diante de outra pessoa – é de fato humilhante. Talvez aí comece a humildade, nessa inadequação da função sentimento, porque a humilhação do sentimento inferior é o sentimento de inferior na humildade. Nesse sentido, o complexo materno e sua eterna repetição como destino oferecem a humildade do *amor fati* o sentimento que se torna destino, as suas limitações e a nossa pequenez. Com essa ideia, retornamos à noção segundo a qual o sentimento é a arte do pequeno.

Capítulo VI

SENTIMENTO E *ANIMA*

Embora possamos ter a certeza de que o complexo da *anima* não é a função sentimento de um homem, devemos ter em mente que ele, tal como o complexo materno, tem uma relação especial com o sentimento, assim como uma parcela de responsabilidade pelas suas desordens. Essa é uma área confusa tanto para homens como para mulheres; é frequente que os homens não possam saber quando sentem e quando se acham no campo da *anima*; as mulheres muitas vezes se sentem atraídas pelo sentimento-anima de um homem apenas para se verem envolvidas em algo peculiar. Como a *anima* se refere, por definição, ao fundamento arquetípico da feminilidade do homem, o sentimento-anima tem características surpreendentemente "femininas". Estas são exageros daquilo que costumamos considerar feminino. Se o complexo materno é a corda tocada pela mão esquerda, estabelecendo um ritmo fundamental e o tom para o sentimento – a que a mão direita pode impor variações mas dos quais não pode afastar-se –, o complexo da *anima* é a melodia desafinada, em bemol ou meio-tom acima, totalmente fora de compasso.

A feminilidade de um homem costuma ser personificada por imagens de mulheres ou símbolos referentes a mulheres, que agem como mecanismos consteladores (enfeitiçadores, carregados de atração) que levam o homem a envolvimentos por meio dos quais ele pode descobrir mais acerca de si mesmo e dessa realidade arquetípica. Esses envolvimentos podem surgir como disposições e fantasias íntimas ou como projeções e projetos. Como quer que esses interesses constrangedores apareçam, é por seu intermédio que o homem é levado ao contato com aspectos até então desconhecidos, isto é, inconscientes, da vida. O complexo da *anima* é considerado classicamente como instância mediadora junto ao inconsciente, sendo portanto, tal como a função sentimento, uma função de *relacionamento*.

Em sua função mediadora, o complexo da *anima* também atua de maneira feminina, ao receber e conter os eventos novos, relativamente inconscientes, que são ativados. A capacidade de vínculo com o inconsciente depende por inteiro da aptidão para receber e conter aquilo que este apresenta, sejam disposições e fantasias íntimas ou projeções e projetos exteriores. O inverso também é verdadeiro: a capacidade de se abrir e de ser receptivo aumenta a aptidão para vincular-se. O grau de repressão dos sentimentos do homem ou de subdesenvolvimento da sua função sentimento determina a intensidade que o complexo da *anima* terá, compensatoriamente, de carga emocional, bem como a quantidade de função sentimento que esse complexo representará. Do mesmo modo, na medida em que o complexo da *anima* dê ao homem um sentimento de sua própria subjetividade e intimidade, este as experimentará não apenas em imagens e projeções, como também em sentimentos. Isso é ainda mais verdadeiro na nossa cultura extrovertida e orientada para o masculino, com sua repressão coletiva do sentimento.

R. B. Onians examina os mais antigos significados do termo *anima* (e *animus*) em seu *The Origins of European Thought* (Cambridge,

1954). Ele diz que há muita confusão em torno desse termo. "O *animus* refere-se à consciência e a *anima* nada tem que ver com a consciência" (p. 169). *Anima* parece ter sido uma palavra mais genérica aplicada a qualquer coisa semelhante ao vapor, ao ar, ao vento, a brisas e exalações, bem como ao hálito humano (pneuma, psique). *Anima* refere-se, sobretudo, ao *princípio vital*, ou princípio da vida, como Jung o enfatizou muitas vezes. Apesar de sua vaporosa insubstancialidade, a *anima* vem como uma força motriz tão importante quanto o ar que respiramos. Algumas de suas imagens arquetípicas foram apresentadas por Emma Jung. Outras formas altamente elaboradas dessa deusa da vida são representadas por figuras femininas do mito grego, destacando-se as de Kore e Ariàdne, de Perséfone, Afrodite e Ártemis. Muitas outras mulheres divinas, semidivinas e legendárias poderiam ser mencionadas, mas o ponto principal no nosso contexto é seu efeito constelador sobre a função sentimento. A *anima* envolve a função sentimento num redemoinho de vida, mas não equivale ao sentimento.

Voltando às nossas distorções do sentimento provocadas pelo complexo da *anima*, verificamos que o sentimento-anima tende a ser demasiado *sensível*. Virginal, reservado, cauteloso, ele teme ser ferido ou ferir a outra pessoa. Por temer ferir alguém, ocultamos timidamente as questões relativas ao sentimento, que não são ventiladas. "É melhor deixar as coisas sem discutir." Muito tempo se passa numa calma reserva. O sentimento-anima é muito *sincero*, o sentimento vai ficando pesado e toda carga emocional atribuída a uma experiência ou ideia qualquer assume importância num clima de romance passional. Então, são mantidos segredos acerca das coisas erradas e os assuntos se tornam insignificantes devido a julgamentos de valor errôneos. (Por exemplo, um homem tem uma cabana de esquiar comum nos Alpes, mas, devido aos seus sentimentos-anima por ela, a investe de uma importância misteriosa, transformando-a numa

Shangri-La bem próxima da porta do céu.) As avaliações de sentimento do homem, quando ausentes, são facilmente substituídas por supervalorizações e entusiasmos exagerados da *anima*. Tudo fica demasiado significativo, demasiado pleno de importância religiosa e de sabedoria pomposa. O sentimento se transforma em confissões sinceras, em honestas aspirações de bondade. Correspondendo à imagem de uma *anima* jovem nos sonhos de um homem, a qualidade da sinceridade assume os tons da coleguinha da faculdade.

A essa fenomenologia também pertencem os sentimentos *demasiado polidos*. Num exagero da harmonia e da tendência feminina de amaciar as coisas, o sentimento polido se curva diante do outro, rendendo-se antes de as tensões alcançarem um pico. Ele sempre está ajustadamente certo. Por ser sempre certo, ele na verdade não o é, porque a vida nem sempre é certa. A função sentimento consciente pode lidar com a negatividade e dar à discórdia o que lhe é devido; mas o sentimento-anima deseja evitar problemas por não ter a diferenciação necessária para lidar com as complexidades do sentimento. (É preciso lembrar que os complexos são, na sua intenção, autoperpetuadores. Na qualidade de núcleos energéticos, atraem eventos para si e tendem a aglutinar tudo o que ainda não esteja organizado de alguma forma. Portanto, tendem ao engrandecimento a expensas da diferenciação. Tendem a unir disparidades e a reagir em termos de tudo ou nada. A *anima*, como complexo, age assim contra o sentimento diferenciado.)

O sentimento-anima é com frequência demasiado *suave e encantador*. Há sempre um sorriso e uma observação correta que corta o sentimento mais profundo, como se o sentimento fosse uma dança na ponta dos pés que foge às extremidades do envolvimento. Do mesmo modo, o sentimento-anima mostra *vacilação*, não a partir da ambivalência fundamental – caso do complexo materno –, mas em função de um envolvimento superficial com os valores. Manifestam-se meios valores e meios sorrisos. O homem se desvia, brinca com questões importantes, mente e perverte a verdade das coisas em nome da vaidade. Seus julgamentos oscilam, em especial quando se referem a sentimentos acerca das ações da vida, da moral, das pessoas. A vacilação, a indecisão, só pode ser encerrada pela espada do logos, de cujo uso a *anima* o mantém privado ao apelar para o seu medo de errar, de sua possível perda de prestígio e de "ferir alguém".

Ele se revela ainda no *autoerotismo*. E assim o homem se apaixona pelo próprio amor que sente, só sente seus próprios sentimentos, considerando maravilhoso o simples fato de sentir alguma coisa, o que leva ao culto do sentimento pelo sentimento. Autoerotismo refere-se aqui, tão só, aos sentimentos-anima do homem com relação a si mesmo, ao seu amor-próprio, em que a *anima*, como se fosse uma mulher real, alimenta-o continuamente com admiração e com fantasias de valor inflado acerca de sua aparência, de suas realizações e potencialidades. Sem contar com um sentimento próprio para contrabalançar esses julgamentos, o homem pode ser levado a se expandir além da medida, a sofrer um desastre e um colapso. O mesmo autoerotismo introduzido pela *anima* pode levar também a uma indolente paralisia parcial. Haverá fantasias sobre movimentos de sentimento (esclarecimento de uma situação negativa, início de um relacionamento, divórcio, casamento, realização de uma escolha em termos de sentimento) e preparativos em vez de uma ação real. Ou, talvez, a ação pode não passar de uma encenação para si mesmo, destinada a obter o amor da *anima*, sua atenção divinamente lisonjeira.

Esse autoerotismo manifesta-se de modo curioso. Um homem convida uma mulher para jantar; deu um jeito na sala, pôs castiçais e um disco que gosta de ouvir para tocar suavemente, "na medida certa". Ela chega e, dez minutos depois, começam a brigar – briga provavelmente provocada por ela. A atmosfera de *anima* que ele acredita piamente ser sentimento oprimiu a mulher e bloqueou-lhe o sentimento em tal medida que ela o brinda com um ataque do *animus* para acabar com a coisa toda. E eles discutem sobre o sentimento, sobre o que é e sobre quem o tem. É certo que o homem fez um esforço, mas é igualmente certo que a disposição da *anima* nada tinha que ver com a função sentimento, exceto em termos dos seus sentimentos particulares (autoeróticos).

O sentimento também pode tornar-se demasiado *estético*, um amor dedicado exclusivamente ao belo ou apenas a belas mulheres, bem como uma incapacidade de penetrar no aspecto do sentimento em que este é rude e selvagem. O esteticismo da *anima* não pode gritar, e, no entanto, gritar pode ser parte do sentimento adequado. Em *De l'amour*, de Stendhal, há um capítulo em que ele fala do destronamento da Beleza pelo Amor. O autor se refere à etapa do desenvolvimento da função sentimento em que, ao complexo da *anima*, tal como ao culto à Beleza, substituem-se os sentimentos mais apropriados de amor por uma mulher. De um certo ponto de vista, quanto mais importante for para um homem a beleza de uma mulher, tanto menos individual e pessoal é a relação entre eles. O excesso de paixão pela beleza comum, desse ponto de vista, é um sinal de amor-anima em vez de expressão da função sentimento. Daí decorre a dificuldade da mulher bonita em conseguir um relacionamento individual com um homem. Ela está fadada a atingir-lhe o sentimento-anima, podendo ser compelida a sacrificar a própria beleza para conquistar o seu amor. A distorção estética serve também para suprimir sentimentos negativos, deixando o homem incapaz de lidar com as duras situações da vida a que pertencem a feiura e a sujeira. A *anima* estética não gosta de blasfêmias e maldições, de animaizinhos sofrendo, de cheiro de pólvora, de pobres e oprimidos, do barulho e da poluição das cidades, ao passo que os "seus" sentimentos estão efetivamente voltados para as belezas naturais, a arte culta e as religiões de incenso e cânticos.

Outro aspecto do sentimento-anima é o *materialismo*. À mercê "dela", sem um sentido de valores, apegamo-nos sentimentalmente aos objetos que, mediante a associação com o complexo da *anima*, tornam-se mágicos. Mantemos uma gaveta cheia de momentos, identificando os sentimentos com coisas materiais e atribuindo-lhes mana. O sentimento-anima fica fascinado com facilidade pela riqueza e pelo poder, razão pela qual os julgamentos que fazemos acerca das pessoas têm aspecto materialista e as pessoas de que gostamos tendem a ser do "tipo certo". Dessa maneira, os valores da *anima* mostram-se propensos a favorecer a persona, a adaptação a critérios coletivamente aprovados. A função sentimento atribui valores segundo os valores de sentimento fornecidos de modo objetivo à psique; mas o *sentimento-anima* confunde o que é objetivo com objetos, com aquilo que é evidente, concreto, coletivo. Por conseguinte, a expressão do sentimento também se torna materialista; é preciso fazer estardalhaço e mostrar, ou dizer, com "coisas". Dar substitui o sentir. Ficamos mais ocupados conosco mesmos e com o nosso presente do que com a outra pessoa, que descobre ser o presente uma reivindicação do seu sentimento.

O complexo da *anima* tem associações históricas. Jung fala com frequência dele em termos dos seus vínculos regressivos e voltados para dentro com os níveis históricos e míticos da psique. Esse aspecto também pode materializar-se, motivo pelo qual os valores de sentimento estético ficam distorcidos, tomando-se um culto do passado, da antiguidade, do gosto clássico. Expressamos nossos sentimentos em coleções de objetos de estanho ou prata, em pinturas e relíquias arqueológicas.

O complexo da *anima* também pode distorcer o sentimento ao torná-lo demasiado *pessoal*. Nas áreas em que os interesses humanos tendem a ser impessoais (ideias, planos, fatos, coisas) e não se dá atenção suficiente ao que é pessoal e íntimo, a *anima* assume sub-repticiamente o controle. Nos assuntos pessoais, os homens ficam à mercê de toda espécie de intriguinhas. Fazem fofocas, negociam valores, se intrometem na vida pessoal dos filhos – em especial das filhas –, como solteironas assustadas de sombra lúbrica, a todo momento prontas a explodir de raiva ou ter um acesso de mau humor à mesa. Os homens não podem superar o pessoal apenas ignorando-o ou entregando-o aos cuidados das mulheres. Parte da integração da função sentimento consiste em ter o vínculo correto com o pessoal, com aquilo que "pertence apenas a mim". Já que representar esse aspecto da personalidade (que sempre tem esse "é só meu", essa qualidade pessoal) como uma afirmação de identidade é um risco e um desmascaramento, o homem costuma ficar mais à vontade deixando que alguém o faça por ele (a secretária, a esposa, a amante). Por infelicidade, esse alguém é com frequência o complexo da *anima*, e "dele" já não pode ser distinguido de "dela" (da *anima*). Tudo se torna então um monograma, que é estampado com uma idiossincrasia pessoal.

Podemos concordar em parte com a formulação junguiana clássica, segundo a qual o sentimento-anima também mostra *distorções da sexualidade*: sexualidade demais ou de menos no sentimento. Para alguns, parece que a função sentimento se localiza nos órgãos genitais, razão pela qual o homem só sente quando é atraído, o que determina que, quando o desejo se vai, o sentimento também se vai. Uma análise mais detalhada dessa condição mostra, todavia, uma aliança entre o lado sombra da masculinidade e a *anima*. (A sexualidade da *anima* costuma não ser tão "baixa", tão "instintiva", mas exibe toda sorte de ideias sentimentais, hiperestéticas e mentais acerca do sexo – sexo na cabeça ou pleno de "afeição", em vez de expressão direta da genitália.)

O sentimento sexualizado tem como representação onírica figuras da sombra e o complexo da *anima* que as favorece. Elas se vão com o homem sombrio no sonho ou constelam o estupro, podendo ainda despertar anseios que combinam enlevos sagrados com gozo sexual. A *anima* parece gostar particularmente das misturas antinômicas entre sexualidade e espiritualidade, bem como dos pseudogurus que as exibam; nelas, a sombra priápica é ocultada sob o manto do homem santo e o sentimento faz do comportamento socialmente desagregador uma virtude metafísica. Nesse caso, as pessoas não se limitam, como sempre aconteceu, a amar, a ter ciúmes, a fazer parte de triângulos amorosos e a ter casos, mas justificam as coisas que ocorrem com uma "nova moralidade", "experiências tântricas", "amor livre", "individuação" e outras doutrinas derivadas pela função sentimento e apoiadas pela *anima*.

O pseudossentimento dessas doutrinas pode ser facilmente detectado porque os sentimentos negativos foram suprimidos. Os ciúmes são "superados", sendo encobertos, por ideais superiores, pelas lutas pelo poder, pelas rusgas e pelo fechamento que ocorrem nos relacionamentos intensos. Enquanto encoraja a sombra do desejo, a *anima* leva o homem a uma sombra menos evidente. Costumava-se chamar isso de "virar a cabeça": a *anima* desvia a atenção do indivíduo – para o bem ou para o mal – por meio da manipulação do sentimento, de maneira que ele pode estar no "pior" e ver apenas o "melhor". A honestidade do seu desejo é substituída pelo caráter desonesto das suas justificativas filosóficas sobre ele. Aqui, os ciúmes podem ser a graça salvífica, por terem a grande virtude de produzir uma espécie de honestidade psicológica. Eles mantêm um triângulo autenticamente difícil, restrito a paixões básicas da psique, o ódio, o assassinato e o medo. A sombra está bem aí, sem a cobertura açucarada do Doce Amor da Minha Vida. Nos contos, Afrodite jamais surgiu sem problemas; tinha irmãs sombrias, as Fúrias, sendo seus servos o Hábito, a Aflição e a Ansiedade.

Concordamos apenas de modo parcial com a posição junguiana clássica de que a *anima* sexualiza o sentimento porque, às vezes, essa posição desconsidera a importância da sexualidade no sentimento. Se for arquetipicamente vinculado com Eros, o sentimento terá ecos no nível psicoide. Para alcançar e representar os complexos, o sentimento tem de possuir também um componente corporal, mesmo que este não seja molar e sólido no mesmo sentido do afeto e da emoção. Não pretendo confundir corpo e sexualidade, porque a consciência do corpo nem sempre é sexual e porque a sexualidade pode ser deveras mental – e, no entanto, não deveríamos ir tão longe ao distinguir entre sentimento e sexualidade. Apaixonamo-nos com excessiva facilidade pela noção de que o "bom sentimento" está purgado de sexualidade e de desejo.

É bem possível que a sexualidade tenha seu próprio aspecto de sentimento, devendo este superar os sentimentos despertados por meio da sexualidade. Essa função sentimento opera como um inibidor ou guia no âmbito de toda força instintiva, fornecendo-lhe suas próprias leis, as quais podem não corresponder às leis morais impostas à sexualidade – relativas ao modo como ela "deve" operar e aos sentimentos que "devemos" ter. O sentimento pode dirigir e elaborar a sexualidade, como ocorre nos jogos de acasalamento dos animais ou em nossos complicados padrões de corte, de cartas de amor e de processos de divórcio. O momento em que duas pessoas vão ou deixam de ir para a cama é determinado tanto pelo sentimento como pela sexualidade e, aqui, o sentimento atua como *spiritus rector* do instinto, da mesma maneira como este age por meio dele.

Tentei discutir a autoinibição natural e inerente da compulsão em dois artigos: "Towards the Archetypal Model for the Masturbation Inhibition" [Em busca do modelo arquetípico da inibição da masturbação] e "On Psychological Creativity" [Da criatividade psicológica]. Eles oferecem uma nova maneira de considerar o sentimento: podemos concebê-lo como um componente reflexivo do instinto, da mesma maneira como cada Deus tem suas exigências rituais e "leis" de sentimento para se observar o seu culto. Essas reflexões levam o tema destes capítulos para além da noção de sentimento como função da consciência. Aqui, sugerimos uma ênfase metapsicológica, o sentimento como fenômeno arquetípico *per se*, próximo da consciência e da autorregulação. Como Jung escreveu (*Coll.Works*, vol. 8, pp. 208-9), o arquétipo tem um aspecto emocional ou sempre tem um efeito sobre o sentimento. Podemos precisá-lo ao sugerir que todo arquétipo envia à consciência uma carga de sentimentos de diferentes tipos, agindo ainda sobre a função sentimento em geral, tanto ao compeli-la como ao inibi-la por meio do temor ao numinoso, um medo sagrado, um momento reflexivo de cautela.

Certas consequências derivam disso: se o sentimento poderia ser um componente do instinto tal como é representado na ritualização reflexiva deste, a ritualização da sexualidade seria uma maneira de reforçar o aspecto do sentimento. A *anima* sexual, que tanto gosta do homem sombra, exigindo sempre mais sexualidade no sentimento, pode passar por um processo de ritualização sexual para liberar a reflexão e a inibição do sentimento. Muitas das modalidades mais perversas da sexualidade, incluindo-se aí as descrições de Sade, podem ser consideradas tentativas de extrair o nível da sexualidade vinculada com o sentimento, tornar a sexualidade um reflexo da psique em vez de apenas uma atividade do instinto.

Creio de fato que a linguagem comum atribui um nível psicoide ao sentimento, isto é, acentua a relação entre a função sentimento e a consciência do corpo. Quando descrevem o que sentem, as pessoas põem a mão no peito ou no abdômen, agarram o pulso ou baixam os ombros indicando depressão. O sentimento pode ser abstrato, ético, diplomático, político – todas as áreas que mencionamos. Pode ser frio, claro e preciso como o pensamento; não obstante, tem esse peculiar componente físico, razão pela qual toda reação de sentimento que não esteja sintonizada com o corpo serve para nos separar dele. Por infelicidade, muito do que passa por sentimento é gentileza "artificial", sem consciência corporal, que age esquizogenicamente sobre os seus recipientes e doadores.

A mesma espécie de psicologia aplica-se ao *animus*, que pode manipular o sentimento, aliando-se aos desejos de poder-através-do--sexo da sombra feminina. É muito frequente que a mulher sofra abusos por parte de homens que se apresentam a elas com sentimentos paternais, ternos e atenciosos, que lhes dão a mão quando elas atravessam a rua, que acendem os seus cigarros e lhes dizem intimidades ao ouvido. Supõe-se que esses homens sejam amantes; eles fazem uma mulher "sentir-se bem". Quando o sentimento está funcionando, esse tipo de coisa é de somenos importância. Mas é comum a função inferior ficar lisonjeada por receber essas demonstrações cruas de "com sentimento" por meio das quais o *animus* e a sombra manobram criando uma disputa que pode muito bem terminar numa dolorosa traição ou numa batalha furiosa por causa de dinheiro.

Como tanto insistimos, a *anima* tem que ver com eros e com o sentimento, razão por que identificamos erroneamente o *animus* com o logos e as ideias. Mas o *animus*, especialmente na terapia, em que se faz tanto com o sentimento, pode muito bem manifestar-se como um sentidor e, mais uma vez, tal como o sentimento-anima, estar simplesmente afastado. Todos os valores e toda a afeição serão meios valores e meia afeição. Esse pseudossentimento do animus se imiscui em muitas sessões analíticas tão logo as pessoas tentam "exprimir os próprios sentimentos". As palavras-chave na identificação da presença do *animus* são: "realmente", "meu próprio", "bom", "positivo", "relacionado com" – e a própria palavra "sentimento".

Por fim – e não por ter chegado ao fim, mas apenas para fazer uma parada –, o sentimento-anima, carecendo da individualidade da expressão do ego, costuma ser *não dirigido*. Nesse caso, o homem sofre de *Weltschmerz*, vagos sentimentos cósmicos, poesia escrita em imagens insubstanciais, paixão por flores e estrelas, clichês que qualquer um poderia ter escrito em qualquer lugar para outra pessoa qualquer em todos os lugares. O sentimento deixa de vez a realidade imediata e já não se vincula com um momento e com um assunto particular. O sentimento não dirigido, apesar de sentir a partir de grupos e de problemas de grupo, bem como de ideias mais amplas que perturbam o mundo, se afasta do centro da questão. É *irrelevante* – talvez porque nele não exista um corpo e, portanto, não haja aí ninguém.

Um exemplo dessa irrelevância: um homem e uma mulher saem para jantar. Ele é correto e polido com ela, embora se relacione um pouco demais com a garçonete a quem nunca viu e que jamais voltará a ver. No fundo, ele está com raiva de sua acompanhante, mas isso só aparece de maneira indireta, no interesse que revela pela garçonete. Então, a mulher exprime raiva por ele como resultado da manipulação da *anima*, que o deixa impune, conservando-o como cavalheiro educado. Esse exemplo mostra também o modo como a *anima* pode usar sentimentos que não são expressos, desviando-os para caminhos errôneos com propósitos problemáticos.

Todas essas distorções de que um homem sofre, e de que a mulher de sua vida é forçada a sofrer ainda mais, são usadas em lugar do sentimento e passam por sentimento, mas não as podemos atribuir à função sentimento. Esta é, por definição, uma função da consciência: está mais ou menos à disposição da consciência, a depender da orientação do tipo psicológico a que pertence a personalidade. Mas, teoricamente, está disponível como instrumento consciente para cada pessoa, pouco importando o tipo. *Podemos culpar o complexo materno pela sua fraqueza e pela sua demora em aparecer, sendo os seus substitutos o resultado do complexo da anima*. As primeiras distorções, trazemo-las da infância, sendo parte da nossa maldição e sofrimento. Mas não temos culpa pessoal por elas. Estas últimas, contudo, são mais sérias por revelarem não o que não poderíamos fazer em nossa impotência, mas sim o que não faríamos em nossa covardia. Quando a personalidade consciente não tem a coragem de correr o risco do sentimento, a *anima* intervém com suas falsificações. Estas, que esboçamos acima, têm um fundo comum: são egoístas, autorreflexivas e autossuficientes. Isso não causa surpresa, porque é função da *anima* fornecer ao homem a experiência de estar vinculado com seu centro, relacionado consigo mesmo ou, como o exprime a linguagem junguiana clássica, a *anima* relaciona o ego com o *Self* (*Selbst*). No sentimento-anima, isso é feito de maneira desviante, que não leva à consciência nem à relação, mas antes a um sentido inflado de *Self*. Todavia, quando ajuda a função sentimento, a *anima* o faz precisamente por meio dessas dificuldades, pois ela causa conflito, desordem e falsificação, fornecendo à função sentimento um lugar onde exercer sua principal atividade: a discriminação de valores e a elaboração do relacionamento.

A ajuda que outra pessoa pode dar à libertação do sentimento da distorção que a *anima* provoca consiste em agir de maneira natural, substituindo o complexo. Isso significa que o outro tem de reconhecer e de dar importância à experiência do meu valor mais central. Porque a *anima* se sente como "eu" no homem. Ela aponta para o meu mistério. Assim sendo, através desse complexo ficamos muito suscetíveis, deveras prontos a ser levados a inflações e ambições, bem como à satisfação de desejos vigorosos. Se ninguém mais puder me ver de fato com os olhos de que preciso para encontrar a mim mesmo ou para vincular meu interesse a um *Self* que é demasiado misterioso para que eu o reconheça, sucumbirei aos sentimentos da *anima* e me desencaminharei – o que, como o observou Oscar Wilde, também tem suas vantagens ("A vantagem das emoções é o fato de nos desencaminharem").

Capítulo VII

A EDUCAÇÃO DA FUNÇÃO SENTIMENTO

A escolarização tende a desenvolver as funções do pensamento e da sensação, embora os testes de inteligência, com sua ênfase na rapidez e na adivinhação, favoreçam a intuição. A educação do sentimento, no sentido de gostos, valores e relacionamentos, não constitui o cerne da escolarização. A música, a arte, os esportes, os clubes sociais, a religião, a política, o teatro e a leitura por prazer são eletivas e extracurriculares. Para que escola o coração pode ir? Talvez não seja absurdo dizer que a profissão do psicoterapeuta deve sua existência ao estado inadequado e subdesenvolvido da função sentimento em geral.

O desenvolvimento da função sentimento por meio da psicoterapia não seria tão necessário se a nossa educação habitual incluísse o sentimento entre os seus objetivos. Disse Rousseau: "Aquele dentre nós que pode suportar melhor as alegrias e tristezas da vida é, na minha opinião, o mais bem educado". A educação da mente racional, muito mais do que fomos levados a crer pela doutrinação da escolarização, pouco nos capacita a lidar com alegrias e tristezas. Pelo contrário: a educação da mente racional nos faz menos capazes de lidar com os sentimentos, visto que sentimento e pensamento parecem desenvolver-se, ao menos na maioria das pessoas, um às custas do outro. Os românticos sabiam disso, e afirmavam: "O sentimento pode errar, mas só pode ser corrigido pelo sentimento" (Herder). Essa afirmação nega a superioridade da razão da mente sobre a razão do coração, apresentando à ordem clássica a ameaça romântica. O sentimento inferior não pode ser corrigido de cima para baixo, pelo pensamento superior. O início da educação do sentimento é fazer ouvidos moucos às funções superiores, cuja desaprovação – mesmo que tolerantemente educativa – de tudo o que seja menos do que ela age quase sempre de maneira repressiva. O sentimento requer uma *educação através da fé;* ele só começa a funcionar quando confiamos que funcione e permitimos que cometa seus erros.

A psique trabalha com os seus próprios erros por meio da sua tendência à autodireção e à autocorreção. Ela nos faz voltar, por intermédio dos sonhos, em especial, à adolescência, quando os problemas do sentimento se tornam agudos e o sistema educacional no qual passamos todos aqueles longos dias fracassa por completo diante desses problemas. Até a adolescência, o desenvolvimento do sentimento recebe mais atenção, no sentido de que permitimos mais à criança, ao mesmo tempo que a dirigimos mais. Mas, na adolescência, sem iniciações e tabus, sem instruções nem normas, ficamos perdidos em meio ao secular desconcerto do mundo, dando-lhe nossa contribuição pessoal de sentimento caótico.

Por essa razão, o retorno à adolescência nos sonhos de adultos costuma indicar hiatos de sentimentos esquecidos, nos quais a vida afetiva começava a abrir-se e a função sentimento a fazer diferenciações, apenas para ter seus valores distorcidos pela ignorância e reprimidos pelo medo. Os sonhos nos levam de volta ao ponto em que as coisas saíram erradas, fazem-nos ir outra vez à escola – mas, desta feita, para a educação dos sentimentos.

E assim vemos fantasias e vínculos homossexuais e lésbicos, o aparecimento repetitivo de certos professores, os amores do curso secundário e a lembrança de pessoas que são bastante triviais e remotas na nossa memória mas insistem em retomar nos sonhos, especialmente em função das características de sentimento que personificam. Em vez de sairmos da adolescência – o que poderíamos acreditar ser a intenção do processo analítico –, vemo-nos regredir através de uma adolescência vivida outra vez: canções, cenas, rostos que tocam o coração com um sobressalto que, embora sentimental, é extraordinariamente vital.

Um primeiro passo na educação do sentimento consiste em acabar com a repressão do medo. Os sentimentos devem ser, antes de tudo, captados e mantidos na consciência, bem como reconhecidos como sentimentos. Como a função sentimento é o elemento que sente os sentimentos, devemos permitir-lhe sentir o que ela de fato sente diante das coisas, admitindo e aceitando, sem a intervenção das funções superiores. Não são apenas estas que interferem. O próprio sentimento julga os conteúdos da psique com avaliações estreitas. Nossos próprios moralismos ultrapassados, gostos tacanhos e intolerâncias trabalham contra nós. É como se o sentimento se desenvolvesse por meio da suspensão de si mesmo, mantendo-se em inatividade temporária para que possamos refletir de maneira nova em vez de julgarmos do modo habitual aquilo que sentimos.

A educação se inicia quando eu começo a confiar nos meus próprios primeiros sentimentos espontâneos – "Não gosto desse rosto", "Sinto-me confuso", "Não sinto coisa alguma", "Sinto-me irritado(a), mas não é com nada em particular" – sem me importar em saber se esse primeiro sentimento é admissível e aceitável em geral pelo sistema coletivo de valores. Ao reprimir as mais simples reações de sentimento, impeço a função sentimento de desenvolver esses conteúdos em avaliações discriminadas. Por exemplo, se reprimo por motivos morais ("Sou casado[a] e por isso não devo ter esses desejos", "É errado odiá-lo gratuitamente"), nada mais poderá vir dos meus sentimentos, que permanecem atrofiados e paralisados. Ou, por exemplo, sentimentos depressivos tomam conta de mim e eu digo: "todos se sentem assim de vez em quando", o que é daqueles clichês costumeiros que impede o movimento específico dessa depressão específica de mostrar o que quer.

Essas pequenas defesas mecânicas contra o sentimento mantêm-no apegado às suas raízes afetivas, pois tudo o que aparece pela primeira vez na consciência traz consigo um potencial com uma carga de afeto superior à do próprio sistema egoico, único meio de ele se fazer sentido, de ele se introduzir. Antes de domar o animal, temos de capturá-lo. Antes de a educação seguir seu curso, deve haver algo a ser educado. Isso implica uma responsabilidade nossa para com nossos sentimentos, sejam eles quais forem, e não apenas para com os ideais referentes ao modo como devemos sentir. Com efeito, essa responsabilidade submete nossos ideais a uma prova, já que requer coragem e honestidade para darmos lugar a tudo aquilo que um sentimento, uma vez admitido, diria.

Não são os conteúdos que uma pessoa carrega em seu inconsciente o elemento que lhe revela o caráter, pois cada um de nós tem sua parcela de terrorista, de assassino e de pervertido – o caráter é revelado pela maneira como lidamos com esses conteúdos. O viés criminoso que todo complexo inclui como parte do seu potencial é um choque para o sentimento. Posso ignorar esse choque e simplesmente não sentir a sombra da minha natureza. Posso também comportar-me como assistente social diante da minha criminalidade, tentando ajudar e compreender, da mesma maneira como o ego pode agir como um juiz do Supremo Tribunal ou de um policial. Assim como o terrorista, também há no nosso íntimo um "tira" que reprime violentamente qualquer sinal de violência e jamais permite uma explosão, reduzindo a uma estupidez insensata – com pílulas, bebidas e distrações – todo confronto exagerado que os complexos constelem. A maneira como nos vinculamos com os conteúdos antissociais e criminosos demonstra nossa facilidade de lidar com a função sentimento.

Assim sendo, o sentimento requer *coragem psicológica*. Há coragem civil, moral, física e intelectual – bem como a coragem da alma para encontrar-se consigo mesma. Enfrentar os conteúdos que existem em nós, reconhecer a destruição nos próprios complexos e submeter-se – o que significa também colocar-se por baixo – à desintegração e aos vazios da nossa própria inferioridade exigem uma coragem extraordinária.

A coragem psicológica é uma coragem do coração, visto que a podemos considerar como um fenômeno de eros que se põe em defesa do coração, da sua generosidade, bem como da sua loucura. A coragem de sentir com relação aos fenômenos da alma, sejam eles quais forem, é uma representação da história de Eros e Psique, porque eros dá amor e encorajamento a todos os conteúdos da alma com respeito aos quais esta se sente inferior. Quanto mais estivermos a favor de eros, tanto maior a força psicológica que pareceremos ganhar, o que demonstra ser eros, na verdade, um dínamo, não apenas em suas porções vinculadas com o desejo, como, de maneira geral, como ímpeto que abarca a vida. A coragem se revela na tendência da função sentimento em aceitar como seu tudo o que aparecer.

Essa educação por meio da fé e da coragem pode ser sabotada pela inteligência analítica. Nesse caso, submetemos à análise aquilo que sentimos, tentando entendê-la cedo demais: por que, de onde veio, o que "significa". Assim, em vez de sentirmos, consideramos o que sentimos projeção e tentamos "fazê-la retroceder" ou a levamos para ser "discutida" com outra pessoa. Tudo, qualquer coisa, menos a coragem de viver a inferioridade da função sentimento.

Tendo o sentimento tanto um sinal positivo como um sinal negativo, aceitá-lo também significa acolher os sentimentos de sinal negativo: a decepção, o desgosto, a frieza, o ódio, a tristeza. Os sentimentos negativos e suas expressões pertencem igualmente à função. Como disse Rousseau, "as alegrias e *tristezas* da vida" – não apenas as alegrias. Os votos do matrimônio, que enunciam claramente valores de sentimentos, reconhecem o lugar do sentimento negativo: "na alegria e na tristeza".

O casamento oferece um vaso para toda sorte de sentimentos negativos, mesmo os que se referem a ele mesmo. Apesar de podermos entrar num casamento iludidos, impelidos por impulsos de esperança, desejo e alegria, a elaboração do casamento implica mau humor, sarcasmo, adulação, mesquinharias, tédio e tantas complexidades em termos de sentimentos negativos que o casamento fornece um veículo extraordinário para a função sentimento. Há poucos lugares em que temos a oportunidade de uma relação forçada e prolongada. saímos de empregos, mudamos de residência, esquecemos com frequência nossos amores quando baixa a poeira. Mas o casamento parece ter sido modelado de maneira ideal para a expressão de toda espécie de sentimento negativo e, portanto, para a diferenciação da função sentimento. O fato de o casamento parecer o único lugar em que esses sentimentos são permitidos, e até esperados, levanta a questão sobre se ele não poderia hoje estar sendo forçado a comportar uma quantidade indevida de sentimentos negativos (que não têm nenhum outro lugar santificado) e de funcionamento inferior (que pode não se manifestar exteriormente). Uma das brincadeiras preferidas do sentimento é a permanência do homem na frente de batalha o dia inteiro, apenas para chegar em casa e se desintegrar em autopiedade e ataques viciosos à família. De fato, o casamento não pode ser um "sucesso", no sentido arcaico de algo belo e agradável que cresce como uma árvore, justamente por causa desses sentimentos negativos que afetam a relação do casal. No entanto, é um sucesso quando podemos viver a partir dessas negatividades e oferecer à função sentimento a oportunidade de um exercício diário. A relação conjugal dá uma chance ao desenvolvimento da função sentimento porque, na qualidade de vaso arquetípico, mantém-se impessoalmente fora e implacavelmente acima de tudo aquilo que ocorra na relação. O recipiente pode parecer uma armadilha ou gaiola na qual a mulher "não pode respirar" e de que o homem quer "fugir"; mas essas experiências testemunham a solidez da estrutura impessoal. Os votos de fidelidade e de dedicação não implicam a exclusão da pessoa inferior, com seus renegados sentimentos destrutivos; eles significam, na verdade, que essa pessoa também se "case", isto é, seja levada para casa e para a cama, acolhida com um crédito em vez de com uma suspeita, recebendo no casamento uma oportunidade de sentir-se tal como de fato se sente (cf. Guggenbühl-Craig, *Marriage – Dead or Alive*, Spring Publ., 1977 [Casamento – Vivo ou Morto]).

A educação da função sentimento do tipo sentimental pode ser ainda mais difícil do que a daqueles que têm outra função superior. Afinal, a função superior não se desenvolve bem: é o sistema agradavelmente suave que vence, ao passo que o desenvolvimento da personalidade costuma dar novos passos por meio das quebras do hábito, nas quais as partes inferiores têm uma chance de se manifestarem. O sentimento pode estender seu raio de ação a áreas sempre novas da vida, a novas pessoas, novos interesses e novas atividades; mas a menos que haja uma diferenciação mais profunda de *valores*, na qual estes avancem em termos de sutileza e de compreensão humana, a função sentimento *per se* não se move, limitando-se o movimento ao seu foco de atenção. Portanto, o tipo sentimento deve suspender com frequência sua função superior e os valores desta a fim de ampliar-lhe o alcance. Uma mulher sente o erro do filho ao desposar uma negra; uma esposa sente o aspecto destrutivo do melhor amigo do marido; um marido considera uma perda de tempo a vida social da esposa. Há muita coisa que contribui para todos esses julgamentos. Contudo, ao incluir a posição do filho, a mãe tem chance de descobrir novos valores. Ao julgar o amigo do marido, a mulher perde a oportunidade de ser levada pelo sentimento "inferior" deste com relação ao seu amigo "inferior" a uma área da vida que também tem valores.

A função pode ter de se desenvolver "contra o seu melhor julgamento". Nesse ponto, a perversidade pode ser um caminho: Swift, Baudelaire e Proust mostram o potencial para o desenvolvimento do sentimento por meio de peculiaridades e sofisticações daquilo que a convenção considera "bom sentimento". Numa cultura de predomínio protestante, em que a sinceridade, a simplicidade e a ingenuidade têm lugar de destaque, a sofisticação do sentimento por meio da perversidade, do esteticismo, da ironia, da exuberância, da astúcia e de outros mecanismos dessa espécie parece ser um "mau" sentimento. Mas devemos lembrar de modo incessante que temos uma noção demasiado empobrecida e sentimental de uma função sentimento educada.

Nesse sentido, o sentimento pode necessitar de uma educação através do oposto dos valores comuns, *da mentira*, por exemplo. A verdade não é apenas um princípio abstrato; é também a realidade de uma situação concreta na qual vários valores operam. O que pode ser verdadeiro num sentido racional factual pode ser uma mentira destinada a proteger valores superiores ou para ser fiel à situação concreta. Os pais ocultam coisas aos filhos e mentem para eles, ao mesmo tempo que esperam que os filhos sempre digam a verdade. Digamos que há uma verdade do sentimento e uma verdade do pensamento e que, por vezes, há um choque entre elas. Temos então o conflito clássico entre Misericórdia e Justiça ou entre Amor e Verdade. A verdade psicológica costuma ser dúplice, se não múltipla, isto é, tem vários lados e, portanto, várias verdades. Hermes, que é o condutor das almas, aquele que aponta o caminho do desenvolvimento psicológico, começa sua vida de recém-nascido roubando e mentindo. Às vezes, o indivíduo descobre que sua iniciação na realidade psíquica e na sua verdade multifacetada tem de ocorrer por meio de uma situação peculiar que o obriga a mentir, situação na qual sua função sentimento enfrenta de súbito conflitos entre os princípios da consciência e as necessidades da verdade psicológica.

Esse pode ser um problema difícil para a função sentimento caso esta não tenha desenvolvido certa sofisticação e descoberto um vínculo entre os valores da alma e os da sociedade. O tipo sentimental em geral reflete os valores estabelecidos de uma civilização, incorporando-os a princípios da consciência. Ele se sente parte da lei e sustenta a doutrina da verdade resultante de um processo histórico. A relação com os valores da sociedade é outro modo possível de desenvolvimento do sentimento. A aceitação acomodada ou a rejeição absoluta mostram a reação tudo-ou-nada da inferioridade.

Há alguns anos, a psicoterapia tinha como principal alvo os objetivos extrovertidos do sentimento em termos de ajustamento aos valores da realidade exterior; atualmente, ela se volta para as metas introvertidas de ajustamento aos valores interiores. Houve uma pronunciada conversão do sentimento extrovertido para o introvertido. Antes, nós nos ajustávamos ao homem interior, com seus sintomas e exigências emocionais em defesa da harmonia no emprego, no casamento, na escola e na sociedade. Hoje, rejeitamos os apelos de integração com a sociedade em benefício do ajustamento a imagens, afetos e ideias subjetivos.

Mas o ajustamento à própria subjetividade pode mostrar-se tão difícil quanto se dar bem com a sociedade. Meus afetos e ideias podem me dar tanto trabalho quanto as pessoas. Logo, o desenvolvimento da função sentimento refere-se também à sua relação com o mundo "interior" ou psíquico, por meio de fantasias do sentimento. Os "outros" com quem temos de lidar são também o "pequeno povo" dos complexos – e quanto o sentimento dá às suas necessidades? O sentidor introvertido efetivamente valoriza esse processo; ele dá tempo a si mesmo, desenvolvendo suas reações e julgamentos e vinculando-se com as suas fantasias de relacionamento. Ele se liga às suas *fantasias* sobre as outras pessoas diante das outras pessoas. Isso requer tempo, e, em geral, os sentidores são silenciosos – mas, ao longo do tempo e no silêncio, eles desenvolvem segurança e poder.

Por outro lado, indivíduos cujo tipo não é sentimento boicotam a si mesmos ao negligenciarem o valor daquilo que ocorre em seu mundo psíquico – sonhos, sintomas, fantasias, depressões – ou ao tenderem a colocar aí apenas valores negativos. Usam o seu sentimento introvertido para se autossabotarem. Sentem-se culpados pelos sonhos que têm ou consideram triviais e supérfluas as disposições e fantasias que surgem espontaneamente. Desdenham todas as disposições, ignorando que estas, assim como as emoções, têm corpo. Não dão um alto valor à sua própria matéria anímica. Mas essas fantasias de sentimento compõem a imagem da minha natureza e, quando lhes dou valor, elas me devolvem valor, segurança e força. Sem esse sentimento introvertido ajustado, minha tendência é não gostar de mim mesmo – ou me sustenho num autoamor indiscriminado conhecido por inflação.

Com muita frequência, os sonhos mostram figuras que evocam sentimentos. Essas personalidades de fantasias, pobres, indesejadas, doentias e marginais, refletem uma condição da personalidade, bem como o tipo de atenção requerida da função sentimento. Numa primeira conversa com a figura da *anima*, um homem, que estava fazendo análise havia três anos, descobriu que o único desejo dela era ser tratada por ele com sentimento, *e.g.*, que ele a apreciasse, fizesse coisas para ela, a levasse em conta (se vinculasse com ela) em todas as suas atividades. Uma analisanda vivia lutando com um "homem de óculos escuros" que via tudo de maneira sombria. Essa imagem onírica era a personificação das suas ansiedades e depressões. Ela o via, e via essas disposições, através desses mesmos óculos escuros, encarando os estados negativos apenas de maneira negativa. Mas um dia ela lhe perguntou em fantasia o que havia de errado com os seus olhos, por que ele era cego, por que sofria e o que ela poderia fazer por ele (em vez de esperar que a figura servisse às vontades dela). Começou a ocorrer uma mudança. O *animus* aleijado, a *anima* fraca, o herói enfermo, a criança ferida não requerem apenas amplificação via intuição ou interpretação via pensamento, mas sim, e de maneira especial, apreciação através do sentimento.

Na ênfase analítica na negatividade e na inferioridade, a noção geral é que levemos à sessão as perversões, desejos incestuosos, violências e ansiedades mais sombrias, razão por que exibimos a tendência a não dar a devida importância aos pontos altos. Por vezes, nos relacionamentos íntimos, como os de marido e mulher e os de pai e filhos, o que nos toca mais profundamente e mais nos inspira não é expresso. O lado sombrio e o lado bom ficam igualmente fora do círculo familiar. O refinamento da função não pode ocorrer sem se submeter a função à prova no tocante ao estranho, ao terno, ao estático, ao desesperador. As centelhas que de fato me tocam como convicções do sentimento, que me mantêm vivo e nas quais minha vida como homem se apoia – não são elas partes do relacionamento? Não deveriam elas, assim como a minha raiva e as minhas mórbidas depressões, ser expressas? Por acaso a ternura só cabe quando estamos na penumbra, a fúria quando estamos bêbados e as lágrimas, num homem, apenas ao lado do caixão? É comum, na análise, que a força motriz seja os sentimentos mais profundos ou mais elevados de amor, a crença em si mesmo, o desejo de obter a salvação e a capacidade de amar verdadeiramente. Somos vítimas do sentimento inferior tanto no tocante à exuberância como no referente à agressão. Não nos é possível ficar superexcitados sem sentirmos culpa e ansiedade.

Em outras épocas, os grandiosos sentimentos positivos de alegria também eram ritualizados; uma ocasião de celebração, de carnaval, bem como formas coletivas de expressão do sentimento, eram fornecidas em termos de uma divindade. Como nos custa fazer um louvor exorbitante e um gesto magnânimo, bem como admitir aquilo que nos torna completamente felizes! Não nos permitimos entoar uma canção, e não apenas por causa de uma moralidade puritana ou de um superego, mas também porque a função não pode cantar e, na linguagem burguesa e secular da psicologia facciosa, descontração é sinônimo de imaturidade e inflação. Os Deuses devem manter distância e não entrar na sala de estar.

A *criação de atmosfera* também é pertinente ao nosso assunto. A função sentimento atribui valor a uma situação. Ela avalia, julga e reconhece os valores inerentes à situação, podendo levar-nos, desse modo, a funcionar de acordo com esses valores. Frequentemente, a atmosfera é arruinada pela supervalorização das grandes expectativas ou pela subvalorização das associações recordadas que só servem para nos desviar daquilo que está imediatamente presente. Então sentimos que tudo o que acontece naquela sala com aquelas pessoas não é "a coisa"; "a coisa" ocorre com outra pessoa, noutro lugar, noutro momento. Essas *fantasias de sentimento* sabotam o momento ao negar-lhe o devido valor. O reconhecimento do valor numa situação cria a atmosfera de importância sem esforços secundários de decoração, jantares ou roupas. Somente ouvir com atenção dá intensidade. O sentimento, nesse contexto, é a percepção do "aqui" e do "agora". "A coisa" está bem ao seu lado, em seu ponto alto, essa é a atmosfera do mistério e da disposição pertinentes à Missa. A atmosfera é criada pelo foco avaliativo criado no momento. Noutro extremo, encontram-se os tediosos eventos familiares e as festas interrompidas pelas "discussões interessantes". Mas também essas são atmosferas de sentimento e o que de fato importa é o espelhamento, o reconhecimento do que acontece no momento em que está ocorrendo. Os tipos sentimento sabem como espelhar; eles podem tirar o melhor numa situação apenas pelo modo como lhe dedicam atenção. Podem sufocar o impróprio e manipular uma conversa seguindo o mesmo método de atribuir valores e de demonstrar ou retirar o seu interesse.

Espelhar não se limita a refletir com a mente; é também algo que ocorre com o corpo. É uma presença em termos de postura; um registro dos eventos, na carne, no momento em que acontecem; aquelas contrações de medo ou de excitação; o refluxo do sangue nas mãos e a frieza nos pés, a exaustão da tensão prolongada. Em si, esse é o aspecto de sensação do espelhamento; e, no entanto, o sentimento extrai valores desses relatos e faz os seus julgamentos.

A educação dos sentimentos envolve ainda a observância de *padrões objetivos de relacionamento.* Há, por exemplo, regras de relacionamento entre visitante e anfitrião, entre a pessoa mais velha e a pessoa mais nova, entre o mestre e o servo, entre amigos e até entre cônjuges. Em muitas culturas, essas modalidades de sentimento são elaboradas com riqueza de detalhes. Elas descrevem posições arquetípicas de sentimento passíveis de serem transpostas para outras situações, podendo ser até metafóricas e místicas, como ocorre com o sentimento do noivo pela noiva, ou com o de ser um "convidado" ou um "servo".

É difícil observar padrões objetivos, em especial quando hierárquicos. Manter uma posição superior sem arrogância ou subserviência, dar ordens sem transformá-las quer num pedido de favor ou numa imposição, observar a obediência filial sem sucumbir ao complexo da família – essas coisas estão além das nossas capacidades comuns e não constituem alvos educacionais numa sociedade de individualismo democrático.

Esses padrões nos dariam a impressão de nada terem que ver com o sentimento, particularmente com os sentimentos de amor – que, caso sigamos o seu mandamento, seja a partir de Jesus ou de

Afrodite, é, tal como a morte, o grande igualador; todas as formas da ordem objetiva são obliteradas. O amor como emoção contraria todas as estruturas e funções da consciência, incluindo-se o sentimento. O afeto ou emoção do amor podem infundir vida na função sentimento e transformá-la, mas não a podem substituir. O amor é arquetípico, pertencente aos Deuses, sendo por eles concedido como Eros. *Agape* e *caritas* também se associam com a religião, quer dizer, também são uma graça cuja origem está além do humano. Mas o sentimento não depende dos Deuses; não é uma força e sim uma consciência; não é uma redenção, mas um instrumento. E, por mais estranho que pareça aos devotos do amor, podemos sentir e ter um sentimento educado sem amor, mas não podemos amar e ter um amor educado sem sentimento. O afeto do amor é uma simplificação; o sentimento, uma diferenciação. Onde o amor une pela fusão, o sentimento conecta por meio da discriminação. Os padrões dessas diferenciações são codificados em formas de sentimento que sobrevivem aos movimentos emocionais do amor. A comunidade, a fraternidade de todos os homens ou as sociedades utópicas de amigos que têm o amor como base estão fadadas ao fracasso por causa da falsa ideia de que o amor vence tudo e pode substituir as formas de sentimento.

As oposições entre o Clássico e o Romântico exprimem menos uma diferença entre a cabeça e o coração do que entre o sentimento e o amor; entre a ordem interminável de sutis diferenciações do sentimento e as ondas sem fim da emoção do amor, que derrubam todas as barreiras entre isto e aquilo, entre certo e errado, entre belo e feio, entre eu e tu. Ao nos apaixonarmos, podemos reverter todos os valores e nos alçar a pináculos para além do bem e do mal. O sentimento, como função da consciência, tem um aspecto discriminador de Logos cuja superação constitui o propósito da Grande Deusa. Ela terminaria com a discriminação e a separação. Por conseguinte, a educação da função sentimento não tem de ocorrer necessariamente por meio da paixão, ao contrário do que afirmam o sonho do romance e o sonho romântico do sentimento inferior.

E, todavia, a experiência diz – a transferência analítica é um exemplo – que apaixonar-se pode produzir e produz de fato um grande desenvolvimento da função sentimento; devemos explorar essa questão um pouco mais. A paixão tem um efeito indireto, e não direto, sobre a função sentimento. O efeito direto, confundido com o verdadeiro desenvolvimento do sentimento, é a súbita experiência de inúmeros sentimentos positivos. Mas a expressão destes, sob o intenso domínio da emoção amorosa, pode ser ainda demasiado subjetivo e distorcido pela inflação do amor. E mesmo que esses sentimentos positivos sejam sentidos e expressos de modo adequado, isso se deve antes ao dom do próprio amor, sendo uma parte arquetipicamente ritualista do comportamento de todas as pessoas, algo impessoal e inconsciente, que se revela quando a pessoa entra no estado de paixão. O verdadeiro desenvolvimento vem mais tarde e é indireto, ocorrendo quando o sentimento começa suas longas avaliações e discriminações daquilo que acontece, selecionando os sentimentos e respondendo a eles e a partir deles. Então, ocorre um aprimoramento da função. Eis onde está o valor das cartas, dos poemas e diários de amor para a psicologia. Daí vem o alimento que um caso de amor dá para horas de devaneios digestivos. Daí vem, da mesma maneira, a ampliação da tolerância e da compreensão que se tem dos outros, um produto ulterior de um caso amoroso.

O principal efeito educativo da paixão sobre a função sentimento é o fato de que, por meio dessa experiência, passamos a confiar nos próprios sentimentos. Eis a educação pela fé, acima mencionada. No amor, colocamos em risco o nosso sentimento e confiamos no seu funcionamento. Apaixonar-se não apenas abre a porta para aquela gama de sentimentos ternos, cômicos, selvagens e exaltados, como também fornece um lugar seguro em que esses e outros sentimentos mais infantis e mais suspeitos podem ser admitidos em confiança. No amor, também valorizamos os sentimentos fracos, possessivos, vãos e pegajosos. Pouco importa como eles sejam; acreditamos neles e lhes damos crédito, visto que constituem a matéria da relação amorosa. Tendo sido acolhidos numa situação em que esses sentimentos são aceitos, somos capazes de, por nossa vez, aceitá-los. O crédito que a outra pessoa nos dá nos ensina a acreditarmos em nós mesmos como seres que sentem. Com isso vem o sentido de redenção, de que os nossos sentimentos, o nosso coração, são "bons", e que mesmo as feridas do sentimento sofridas na infância e na adolescência podem ser expostas, experimentadas e curadas. Estar amando nos torna jovens outra vez, em parte porque nos faz voltar de fato a essas feridas dos sentimentos negativos e à sua expressão abrupta e hemorrágica, redimindo-as ao encontrar para elas a aceitação na estrutura de um relacionamento.

Apaixonar-se gera tantos sentimentos que a função sentimento é constelada – ou não poderíamos conviver com isso. Ela é submetida a testes a cada encontro dos apaixonados. Não há função que a possa substituir; não podemos pensar nem percorrer o labirinto do amor com percepções. Como a paixão tende a apagar as distinções de sentimento, a função sentimento se torna necessária para organizar o amor. A experiência da paixão, na qual somos jogados nos nossos sentimentos e na nossa função sentimento, é a prova exaustivamente convincente de que a função sentimento existe como agente psicológico independente que não tem substituto.

Os relacionamentos pessoais exigem sentimentos pessoais. Aqui, a ênfase é no pequeno, os místicos podem nos ensinar. Agrada-nos crer que os grandes místicos se ocupam das coisas cósmicas mais vastas; mas em geral eles falam de coisas pequenas, muito pequenas. Com a função sentimento, eles reduzem a especulação intelectual a questões bem concretas e imediatas, assuntos pessoais sobre o alimento e a natureza. Seu riso vem de coisas triviais. Nossos sentimentos danificados costumam ser ressentimentos com pequenas coisas, aqueles pequenos erros que vão sendo deixados de lado à medida que caminhamos. E eis que a vida fica amarga: estragamo-la por deixarmos passar as pequenas oportunidades de sentir, mantendo-nos a supurar irritações menos importantes. Perder o pequeno é desperdiçar a função sentimento. Portanto, o sentimento pessoal precisa ser expresso nas pequenas coisas: favores pessoais, participação pessoal nas coisas, observações pessoais acerca dos pontos precisos que nos agradam no outro. A função sentimento, ao reconhecer as virtudes da outra pessoa, vincula-a com esses pontos, dando-lhe confiança em si mesma. O sentimento pessoal é expresso ainda com sutilezas dos *olhos*, da *voz* e das *mãos*. A passagem de uma para outra função é indicada muitas vezes pela mudança do tom de voz. Quando o *animus* comanda, a *anima* reclama, razão por que a função sentimento costuma ser lenta. (É claro que ela pode ser "forjada", falsificada.) A função sentimento pode passar pelos olhos: algumas teorias da amizade usam a imagem de "cara a cara" como modelo. E as mãos ultrapassam as palavras, seja nos gestos, em agressões ou no cuidado de um enfermo.

Um dia, o uso dos prenomes expressou o sentimento pessoal, mas, como tantas outras coisas, é hoje uma forma em desuso para esse fim. Na sociedade "primitiva", o uso de nomes é geralmente muito ritualizado. É comum as pessoas terem vários nomes e os títulos dos membros da família se acham vinculados com as formas de relacionamento apropriadas a cada um deles. No mundo germânico, as formas de tratamento diferenciam graus de intimidade pessoal. A pessoa tem um título e um prenome e, talvez, um apelido. Ademais, há duas formas de "você", que permitem inúmeras combinações. Diz uma lenda que só Deus sabe o nosso verdadeiro nome e, no entanto, na sociedade atual, proferimos o nome das pessoas com tranquilidade na primeira vez que as vemos. Proferir o nome de outra pessoa é uma expressão arquetípica de sentimento. (Significa intimidade; assim, por exemplo, um sonho revelou a um homem, que se apaixonara e tinha beijado a amada pela primeira vez, que o seu nome ficara gravado na língua da moça.) Há em Proust uma passagem em que, quando a amada proferiu pela primeira vez o seu nome, ele se sentiu como se tivesse sido desnudado à sua frente.

Os padrões objetivos de relacionamento são codificados em *modos*. Assimilar modos significa aprender formas de sentimento. Mais uma vez, pode-se alegar que aquilo que sentimos de fato pouca relação tem com os modos. Ao que se presume, os modos evitariam o sentimento, visto que este passou a ser entendido como uma irrupção de sinceridade, que põe de lado todos os modos e "joga tudo para fora", "sentindo as coisas como são". Os problemas do contato humano entre brancos e negros, entre revolucionários e conservadores, chegou a um ponto de exigências inegociáveis em que os modos são motivo de riso. Defender os modos num período histórico marcado pela violência assinala a diferença entre sentimento e afeto. (Não que o sentimento não possa servir de veículo à agressão, como ocorre na crueldade, na lavagem cerebral ou no código dos militares.)

E, no entanto, os modos, em sua melhor manifestação, opõem-se ao afeto, e não ao sentimento. Os sentimentos que parecem demasiado pessoais para serem compatíveis com os modos revelam o caráter inadequado dos nossos modos, revelam que estes perderam contato com o seu propósito original. Porque os modos, polidos ou rudes, deram ao sentimento uma maneira de ser compreendido e acolhido. Oferecem canais de comunicação; mesmo os sentimentos negativos do insulto e do tédio podem ser transmitidos pelos modos. Por meio do uso correto destes últimos, podemos mostrar indiferença e censura, podemos ferir e ridicularizar ou nos exibir para provocar inveja. O fato de os modos ficarem secos, de só refletirem a persona, de se tornarem afetação e perderem todo o conteúdo e todo o vínculo com a sensibilidade, serve apenas para confirmar a principal tese deste capítulo: a função sentimento está em decadência. Um indício padrão de decadência psicológica é a dissociação em polaridades. De um lado, temos sentimentos ásperos e plenos de sentido; de outro, modos que servem apenas à defesa.

A redescoberta da significação arquetípica dos modos como canais necessários e viáveis, em vez de fossos protetores, serviria para re-ritualizá-los, dando aos descuidados atos cotidianos um aspecto de cerimônia. Sentir-nos-íamos seguros no tocante aos elementos mais simples da vida diária – como nos comportarmos e o que se espera que façamos. Os modos nos indicariam o "modo" de lidar com as coisas. Em vez disso, vemo-nos apressados, a moldar para cada coisa inconsequente a sua própria forma; ou então abandonamos todos esses esforços de sentimento, deixando-o para a maternal massa de democráticos companheiros de sentimento de quem sempre se espera que "compreenda o que quero dizer". ("A confusão geral dos sentimentos imprecisos,/Pelotões indisciplinados de emoção" – referir-se-á Eliot à decadência dos modos?) A preocupação obsessiva com a qual enfrentamos as decisões de sentimento do dia a dia, em proveito dos anunciantes e conselheiros que se prevalecem da nossa incerteza, é o resultado do fato de as formas de sentir terem mergulhado no inconsciente. O ritual não vivido se transforma em obsessões e compulsões inconscientes.

Os modos se acham arquetipicamente vinculados com o numinoso; implicam uma relação com o poder. Aparecem com o seu mais elevado grau de elaboração no ponto em que se concentra o poder: na igreja, nas forças armadas, no governo e nos locais de luta entre poderes, *e.g.*, nas cortes de justiça, nos esportes, nos navios e na cirurgia. Os modos costumam ser associados com a ideia errônea da cerimônia como algo exangue, formal e ensaiado. Mas o caráter "ensaiado" dos modos manifesta a numinosidade presente em toda a vida, os poderes arquetípicos que, como deuses, estão contidos em toda situação, dando-lhe drama. Assim, por meio da revitalização dos modos, poderíamos retornar a um sentido arquetípico das situações sociais, ao mesmo tempo menos pessoal e mais numinoso, no qual aquilo que dizemos e fazemos é levado para além do poder dos nossos limites individuais graças à significação do modo pelo qual se realiza cada ato.

Os modos são parte do *ajustamento*. Como podemos ler em Jung, o sentimento extrovertido tem como preocupação primária a concordância, a consideração e o compromisso. Há um reconhecimento dos valores externos e um ajustamento a esses valores. O ajustamento implica valores de sentimento como engajar-se e tomar parte, compartilhar e ajudar, bem como a afirmação da realidade social exterior. Além disso, significa o abandono das reservas pessoais, do afastamento e da fuga ao contato. A submissão ao inconsciente coletivo impessoal não precisa ocorrer apenas por meio de poderosas experiências pessoais no amor, nas artes, nas multidões e nas religiões. Também pode ser realizada através da aceitação do coletivo, porque o coletivo exterior é um arquétipo em si mesmo e, a um só tempo, uma arena das forças arquetípicas que também se encontram no interior da psique. O ajustamento ao coletivo exterior reduz-nos a todos às pequenas proporções da significação estatística. Nesse caso, seremos na verdade apenas um entre milhões, meros seres demasiado dependentes como pessoas humanas, como criaturas. Por mais ameaçador que isso possa ser para as noções românticas de individualidade e do nosso mito do herói pessoal, trata-se de uma experiência que desafia a função sentimento a ajustar-se sem justificativas, a submeter-se sem ser submetida.

Ajustamento significa, em última análise, comportamento apropriado, a "conveniência" de que fala Platão, a "conduta" do *I Ching*. O fato de algo tão simples dever ser uma arte suprema da vida demonstra a que profundezas o problema da função sentimento pode nos levar. "Apropriado", palavra que temos prazer em usar ao descrever o sentimento superior ou desenvolvido, refere-se ao estilo e tato individual de cada um em termos de comportamento.

Estilo e *oportunidade* também pertencem a formas objetivas de sentimento. Estilizado é de fato o mesmo que afetado; encontramo-lo nas decadentes extravagâncias do sentimento extrovertido quando estas se tornam áridas, tendendo para o repetitivo, o insistente, o rebuscado. Da mesma maneira como a ornamentação começa com simples inscrições simbólicas marcadas por um forte afeto, desenvolvendo-se mais tarde em arabescos e rabiscos rococós, tal é o sentimento estilizado como fase ulterior da organização da paixão. Não obstante, este permanece no domínio do sentimento. (Rejeitamos com demasiada facilidade os maneirismos, tachando-os de frágeis, baratos ou sentimentais, esquecendo que também eles apresentam sentimentos e qualidades.)

Mas estilo é mais do que estilização. É aquela feliz união obtida pelo ajustamento do sentimento individual às expectativas externas. É a própria função sentimento, exprimindo a personalidade tal como a taça exibe o vinho. Ou é a personalidade manifestando-se por meio da função sentimento de tal maneira que aquilo que mantém nosso estilo próprio é adequado tanto à verdade interior do sentimento como ao mundo exterior. O estilo não deve ser tomado das vogas, e sequer pode ser ensinado, embora seja a essência que quem busca educar o sentimento tanto deseja. É o estilo de um escritor que o jovem poeta imita laboriosamente, o estilo do conferencista que o aluno emula, o estilo do analista que o paciente incorpora à sua transferência, o estilo da mulher da sociedade que a garotinha observa em silêncio ao longo da festa.

Quando fala em estilo de vida como caminho para a percepção da neurose de cada pessoa, Alfred Adler acerta ao conceber o estilo como aquilo que mostra o modo como a pessoa lida com os próprios sentimentos, agrega sentimento aos conteúdos da consciência e vive os seus valores. Assim como a ordem metódica exprime o pensamento, assim também o estilo exprime o sentimento; o estilo de um período exprime as modalidades de sentimento de uma época e o estilo de uma pessoa, sua vida de sentimento. Quando não muda de acordo com os estágios da vida, à feição da mudança das nossas modalidades de estilo pelos períodos históricos, o estilo se torna caricatura, estilização. Quanto menos observável (quanto menos estilizado), tanto mais o estilo é parte da maneira como a pessoa é de fato, tanto mais podemos dizer da pessoa que integrou o sentimento a tal ponto que o seu modo de sentir não pode ser distinguido dela mesma. Ela e seu estilo formam um todo. Logo, o desenvolvimento do estilo pessoal na pintura ou na literatura é a meta mais elevada do artista, assim como a marca que dura mais tempo. Para todos nós, a lição é a mesma: a busca de nós mesmos é a busca do nosso estilo, da nossa modalidade de vivência do sentimento na vida.

O *tato*, ou sentido de oportunidade, é talvez o coroamento do sentimento apropriado. O Eclesiastes o afirma com simplicidade: há um tempo certo para cada coisa. Tudo tem seu tempo apropriado. Talvez o sentimento seja apenas uma questão de tato, uma questão de oportunidade. O humor depende por inteiro disso, sendo a música a arte do tempo. A função sentimento percebe-o, por exemplo, quando, ao visitar uma pessoa no hospital, não ficamos tempo demais nem saímos antes da hora, quando sentimos qual o momento de chegar e qual o de sair. A qualidade do tempo, e não a quantidade dedicada à outra pessoa, é o elemento que transmite o sentimento. Por isso, o sentimento perturbado – os sentimentos de culpa do complexo materno – distorce o sentido de tempo, e damos grandes quantidades de tempo que pouco têm de sentimento.

O tempo tem uma qualidade – ou é uma qualidade. Não é um mero acúmulo de minutos idênticos em marcha interminável para a eternidade. O desenvolvimento do sentido do tempo significa desenvolver a percepção sensível do momento e da biografia como algo distinto do momento construído pelo relógio pensante. Há na verdade um momento quantitativamente longo ou curto a depender da maneira como o sentimento o constrói. Os momentos têm dimensões: há longos momentos, grandes momentos e momentos tão preenchidos que nada encontra neles um lugar. O sentimento dá forma ao tempo, dando-lhe várias espécies de tons de sentimento. Esses tons não fazem parte da mesma escala em que as sete horas seguem as seis horas, que seguiram as cinco. O tempo do sentimento é organizado em agrupamentos, mais semelhante a um crescimento orgânico, razão por que hoje talvez tenha suas raízes num dia qualquer do último verão (e não ontem, que pertenceu a um ramo totalmente distinto.) Logo, retomamos velhas amizades a partir do ponto em que as interrompemos. Eis a razão do caráter tão essencial da continuidade para o desenvolvimento do sentimento.

O passar do tempo pode ou não alterar a função sentimento. Quando mantemos algo por muito tempo e de modo negativo, ainda estamos ressentidos; mas, por vezes, graças à continuidade, a função sentimento encontra uma nova relação e um novo valor para um evento, e nós podemos perdoar. Mais uma vez, não há educação possível senão a da coragem de suportar o tão prolongado aspecto imutável de nós mesmos. Isso ensina a função sentimento a ser paciente. Por quanto tempo manter algo ou quando renunciar a ele são também questões de oportunidade; não temos melhor guia do que as "vozes interiores" da função sentimento – e precisamos confiar nesse guia.

Também podemos nos orientar pelos *efeitos* que causamos nos outros. Podemos não ver a nós mesmos, mas é possível observar a expressão do outro, ouvir-lhe a voz e perceber algo acerca do efeito que estamos causando. O sentidor extrovertido pode levar o outro a sentir-se bem. Ele dá valor, congratulações, ajuda; alivia um atrito e percebe uma necessidade, podendo ter um efeito encorajador. E podemos procurar esses efeitos: o que trazemos conosco para um dado ambiente? O que soa em nossa voz além das palavras que enunciamos? Quanto temor isso evoca? Somos capazes de sorrir para alguém ou as pessoas sempre estão na defensiva, sentindo-se culpadas, diante de nós? O tempo flui com rapidez ou se arrasta?

O sentimento pode ser, em essência, apenas uma questão de dar tempo às coisas; e a paciência, a arte da lentidão, pode ser, como quer o misticismo, a última flor do sentimento humano. Para além da efemeridade do sentimento *anahata*, há uma lentidão sem depressão e uma luminosidade sem inflação. Quando não tenho tempo para você, dou-lhe pouco valor. E quando perguntamos a que ou a quem uma pessoa dedica o seu tempo, descobrimos muito acerca do seu sentimento. O tempo que despendemos pode exprimir o próprio sentimento que temos.

Essas formas tradicionais de educação do sentimento – modos, estilo, oportunidade, relações pessoais, casamento, fantasias de sentimento, paixões – mostram formas que sempre existiram. Revelam que o sentimento não precisa de programas educacionais específicos. Sou sarcástico com relação ao movimento popular de *grupos de sentimento*; não porque o sentimento não precise de desenvolvimento, mas porque o ponto de partida desses grupos é imposto à vida. Trata-se de técnicas. Parecem outra modalidade de protestantismo comunitário, onde "trabalhamos" o amor ao próximo sob o entusiasmo ilusório do autoaperfeiçoamento. Os grupos de sensibilização não dão espaço suficiente ao reconhecimento depressivo da fixidez dos hábitos e dos limites do amor, da personalidade e da transformação. Ademais, enfatizam o pessoal, o momentâneo, enquanto a função sentimento precisa da continuidade prolongada e da relação com valores objetivos e realidades impessoais. Erramos ao crer que esses grupos pertencem a Eros, porque esse deus escolhe indivíduos com as suas flechas e os une em casais por meio da intimidade, pondo esta, notoriamente, acima da comunidade. Eros desenvolve o sentimento por meio das faces do amor: *pothos* (anseio), *himeros* (desejo), *anteros* (retribuir), *philia, agape, caritas.* Ainda não se sabe qual o deus que deu origem aos grupos, mas sabemos que eles começaram a existir como terapia. Derivam de uma situação doente, e o sentimento que aí se desenvolve pode ser encarado, ao menos em parte, da perspectiva dessa origem, da mesma maneira como o sentimento, na análise, também reflete seu fundamento psicopatológico a partir do qual surgiu a análise. Hoje temos grupos porque as modalidades tradicionais de encontro – beber, fazer banquetes, procurar prostitutas, chorar entes queridos, lutar, conspirar, dançar – perderam o sentido e necessitam de substitutos. Os grupos ao menos oferecem um substituto em que é possível apresentar alguma patologia; a educação do sentimento que neles acontece resta por verificar.

Há muitas *psicopatologias* do sentimento. Com efeito, as distorções da função sentimento, tais como as reações histéricas ou a ambivalência esquizoide, são critérios vitais da psicopatologia em geral. A psicopatia descrita, por exemplo, como ausência de senso moral ou "insanidade moral", parece referir-se a particularidades da função sentimento. Essas coisas são descritas em todo manual de psicologia e da psiquiatria da anormalidade.

Mas há outras peculiaridades que merecem a nossa atenção. Por exemplo, a *fuga*. Há uma característica especial que alguns de nós revelam – fugir do sentimento. Usamos a expressão clássica da Nova Inglaterra, dita com os dentes semicerrados: "*I should prefer not to talk about that*" ["Eu preferiria não falar sobre isso"] –, quando algo se torna demasiado próximo e pessoal. Ou levamos os sentimentos a um grupo, para fins de catarse, excitados com a sua descoberta e expressão, e, no entanto, evitando-lhes as consequências.

Também podemos voltar-nos para coisas do Oriente que evitem com elegância o desenvolvimento do sentimento. Arranjos florais à maneira do mestre japonês ou meditação transcendental não têm muita relação com a realidade da função sentimento. Podemos fazer mais para o seu desenvolvimento ao explorarmos a sua formação cultural por meio do estudo de Hawthome, de Hardy, de Emerson e de John ou Wesley (no caso dos protestantes), e passando algum tempo em Kentucky ou Kansas (ou com os pais), do que em peregrinação a um *ashram* cujas modalidades de sentimento nada têm que ver com as nossas. O caminho oriental é um desvio para longe da diferenciação do sentimento pessoal, que é substituído pela gentileza e pelo autocontrole coletivos. Outra cultura fornece um pano de fundo para contrastarmos estilos. Henry James mostra o estilo americano de sentir ao situá-lo em Paris. Assim, lemos literatura francesa ou assistimos a filmes italianos para sentir com mais precisão as nossas diferenças com relação a eles. Assimilar uma cultura estrangeira e seu estilo de sentir oferece uma fórmula coletiva – passa-se a ter um nome budista ou a usar um sari –, mas continuamos a evitar a educação da função.

Em geral, evitamos o sentimento transferindo-o para outra pessoa – o cônjuge, o(a) melhor amigo(a), o(a) secretário(a), o(a) decorador(a) de interiores ou o(a) analista que nos "guia", dizendo-nos como ir para casa e nos "relacionarmos" com os filhos. Às vezes, evitamos o sentimento ao vivê-lo apenas no nosso íntimo, com uma introversão exagerada, sem jamais operar com ele no exterior, na vida das pessoas, nos valores, nos gostos. Ou, ao contrário, vivemos exteriormente com tal intensidade de sentimento que evitamos por completo o desespero e as confusões da nossa subjetividade pessoal.

Podemos lembrar que, quando o sentimento funciona bem, a pessoa vê que é dada importância aos seus mundos subjetivo e/ou objetivo. Todos temos problemas quando se trata de reconhecer o que é importante. Ficamos abatidos, ou inflados, e nosso sentido ausente daquilo que se reveste de significação nos instiga na busca da felicidade. Não nos contentamos conosco mesmos nem com as nossas situações. Os sentidores – mesmo que ansiosos com ideias, abstrações, planos e datas –, no entanto, podem ficar contentes, até mesmo com uma alegria boba, porque seus sentimentos dão valor e importância aos seus conteúdos psíquicos, aos seus relacionamentos e às suas circunstâncias. Assim, os tipos sentimentais tendem a ser mais seguros e menos aflitos pela curiosidade, pela rebelião e pela necessidade urgente de mudança.

A divisão no interior da função entre suas faces introvertida e extrovertida pode dar conta de todos esses estranhos fenômenos conhecidos como *sentimento dissociado*. A função inferior mergulha no fundo de nós mesmos, perdemos o acesso a muitos dos nossos sentimentos, que desaparecem com ela. Então não sei como me sinto, nem posso exprimir um sentimento sem me colocar num tipo especial de condição dissociada. Em vez de dizer "sou um homem amargo, sem caráter e seco", ou "quero você", ou "adoro ficar sentado nesta sala", colocamos tempo ou distância entre aquilo que sentimos e o modo como exprimimos, dizendo "eu costumava me sentir desse modo", ou "quando criança, eu sempre queria...", ou então, "quando for idoso, serei um homem amoroso e gentil". Não estamos presentes no mesmo lugar onde estão os sentimentos e, quando eles estão, nós não aparecemos. Nós nos dissociamos deles. Quando uma mulher, depois de dez anos de casada, pergunta "você me ama?", não exprime tanto uma dúvida (que pode não cessar, seja qual for a resposta que o marido lhe dê) como uma tentativa de vincular o marido com os próprios sentimentos dele. A resposta que ele dá o obriga a sentir o que sente, agora, força-o a estar presente no local em que estão os seus próprios sentimentos.

O sentimento dissociado se apresenta em outras formas. Alguns só exprimem sentimentos por meio de cartas, à distância; de frente, ficam com a língua presa. Outros só encontram os próprios sentimentos quando se sentam sozinhos no escuro, escrevem algo, tocam piano. Há os que têm de usar outra língua, como ocorre na cena de amor de *A Montanha Mágica*, em que Thomas Mann abandona o alemão nativo e faz suas personagens falarem francês. Certas pessoas só têm suas fantasias amorosas despertadas à visão de cartões-postais de lugares distantes, ou com uma amante estrangeira, ou com algo que se refira ao futuro ou a outro século, no passado, quando prefeririam ter vivido. O sentimento sempre está em algum outro lugar, em outro tempo; ela diz "aqui não", e ele diz "agora não".

Chegando ao final, suponho que o teste de coragem crucial se refere às psicopatologias do sentimento, àqueles aspectos que não podem se enquadrar na fantasia da educação. Os componentes nunca mudam, e jamais mudarão, significando a completude incluir a lama alquímica que não passa de lama, o resíduo abandonado das nossas incorrigíveis e irredimidas fraquezas em termos de sentimento. Saturno também rege a alma, e seus limites recusam a fantasia de que tudo está sujeito ao desenvolvimento

Temos estado sujeitos a uma espécie de filosofia do sentimento inferior, segundo a qual tudo na natureza humana pode ser melhorado, integrado ou tornado consciente. Pende sobre a análise um sinal invisível onde se lê "crescimento" (ou "transformação"). Por meio dessa filosofia otimista do sentimento, comprometemo-nos da boca para fora com a função sentimento. O caráter vago da ideia se enquadra na imprecisão do sentimento inferior (ou do pensamento inferior do tipo sentimental), o que nos dá uma noção confortável e harmoniosa de que tudo o que acontece é, em última análise, para o nosso bem, é parte do crescimento, do processo de individuação.

E, todavia, nossa vida e a observação da vida dos outros, a dos idosos em especial, nos revelam que temos em nós espantosas lacunas de sentimento não aperfeiçoado: ódios que há muito "deveriam" ter acabado, usuras e mesquinharias, negligências em momentos críticos, anseios deixados para a velhice, feridas não curadas, traições não admitidas, crueldades continuamente perpetradas. T. S. Eliot ("Little Gidding", de *Four Quartets*, Londres, 1944) descreve "as dádivas reservadas à velhice"*, uma das quais é "... a dor lacerante do reviver/Tudo aquilo que se fez e se foi; a vergonha/De motivos tardiamente revelados, e a consciência/De malfeitos e prejuízos causados aos outros/Que um dia tomamos por exercício da virtude". **

Embora as dolorosas psicopatologias se mantenham até o fim, temos de fato as *amizades* como um lugar para esses sentimentos. Na antiguidade, considerava-se a amizade como uma das mais notáveis realizações do homem, algo raro e reservado para a última parte da vida. A amizade não existe sob o sinal invisível da transformação; os amigos não existem para se aperfeiçoarem mutuamente, visto que se aceitam uns aos outros ao aceitarem as patologias uns dos outros. A amizade oferece um contexto de sentimento no qual a vergonhosa consciência do sentimento inferior pode ser exposta. O reviver o passado e as revelações das feridas de cada um de nós podem ser remoídos nesse contexto. Nem a análise oferece à patologia um lar tão amoroso quanto a amizade.

Mas também a amizade permanece no nível do sentimento pessoal. A psique tem, além disso, necessidades adicionais de satisfação

---

* *"The gifts reserved for age."*

** *... The rending pain of re-enactment/Of all that you have done, and been; the shame/Of motives late revealed, and the awareness/Of things ill done and done to other's harm/Which once you took for exercise of virtue."*

impessoal. Mas enquanto a nossa cultura não tiver restabelecido a harmonia com as principais forças arquetípicas da vida – os ritmos cotidianos e as estações, as marcas do tempo na biografia e no espírito dos lugares, os ancestrais, os descendentes, a família e a nação, os movimentos dos eventos históricos, bem como a morte – em termos de Deuses e Deusas que governam o pessoal, nossa função sentimento permanece necessariamente inferior, e até patológica, num sentido essencial. Porque ela se acha privada, pelo mundo secular em que nos encontramos, de sustentar os valores da realidade arquetípica, assim como de vincular a eles a existência.

BIBLIOGRAFIA

REFERÊNCIAS PARA LEITURAS ADICIONAIS

CAPÍTULO I

H. M. Gardiner, R. C. Metcalf, J. G. Beebe-Center, *Feelings and Emotions* [Sentimentos e Emoções], Nova York, 1937.

Feelings and Emotions – The Wittenberg Symposium [Sentimentos e Emoções – O Simpósio de Vitemberg], org. por M. Reymert, Clark University, 1928.

Feelings and Emotions – The Mosseheart Symposium [Sentimentos e Emoções – O Simpósio de Monserrate], org. por M. Reymert, McGraw-Hill, Nova York, 1950.

Feelings and Emotions – The Loyola Symposium [Sentimentos e Emoções – O Simpósio de Loiola], org. por M. B. Arnold, Academic Press, Nova York e Londres, 1970.

J. Hillman, *Emotion – A Comprehensive Phenomenology of Theories and Their Meanings for Therapy* [A Emoção – Uma Fenomenologia Exaustiva de Teorias e do seu Significado para a Terapia], Londres e Evanston, 1960/64.

T. S. Eliot, *Four Quartets*, Londres, 1944.

CAPÍTULO II

Quando da redação desta obra (1970), o Volume 6 (*Psychological Types* – Tipos Psicológicos) das Obras Completas de Jung ainda não havia sido publicado. Ele conterá todos os escritos de Jung acerca da tipologia. Enquanto isso, a tradução de *Psychological Types*, Londres, 1923, de H. G. Baynes é a fonte padrão de referência. Veja-se também: "A Contribution to the Study of Psychological Types" ["Contribuição para o Estudo dos Tipos Psicológicos"], *in Collected Papers on Analytical Psychology* [Obras Reunidas de Psicologia Analítica], de Jung, tradução de C. E. Long, Londres, 1917.

CAPÍTULO III

J. Analyt. Psychol. [Revista de Psicologia Analítica] 13, 1, janeiro de 1968, artigos de I. N. Marshall, H. Mann, M. Siegler, H. Osmond e H. G. Richek e O. H. Brown.

J. Analyt. Psychol., 9, 2, julho de 1964, artigo de K. Bradway.

Houve muitas e, por vezes, desajeitadas tentativas de descobrir o tipo sentimental na biografia ou na arte, ou de diagnosticá-lo por meio de testes, bem como de equiparar a função sentimento com estilos específicos. Para alguma literatura dessa espécie, veja-se G. Aigrisse,

Psychanalyse de la Gréce antique [Psicanálise da Grécia Antiga], Paris, 1960, que acha que a religião dionisíaca representa a função sentimento (da mesma maneira como os Deuses do Olimpo personificam a extroversão e Deméter, a função sensação); W. P. Witcutt, *Blake – A Psychological Study* [Blake – Um Estudo Psicológico], Londres, 1946, que afirma ser Blake representante dos intuitivos extrovertidos e analisa sua função sentimento; H. Read, *Education Through Art* [A Educação pela Arte], Londres, 1943, que discute os tipos de desenhos e pinturas que as crianças do tipo sentimental caracteristicamente produzem. Sobre testes de diagnóstico e tipos, veja-se a obra de H. Gray e J. Wheelwright, bem como o Myers-Briggs Type Indicator [Indicador Myers-Briggs de Tipos], de 1962, disponível junto ao Educational Testing Services, de Princeton, Nova Jersey. Um levantamento da literatura e uma validação dessa espécie de teste de tipo podem ser encontrados em L. J. Strieker e J. Ross, "As Assessment of Some Structural Properties of the Junguian Personality Typology" [Uma Avaliação de Algumas Propriedades Estruturais da Tipologia Junguiana da Personalidade]. *J. Abn. Soc. Psychol.* [Revista de Sociologia e Psicologia da Anormalidade], Vol. 68, 1964, pp. 62-71.

CAPÍTULO V

C. G. Jung, "Psychological Aspects of the Mother Archetype" [Aspectos Psicológicos do Arquétipo da Mãe], *Collected Works* [Obras Completas], 9/i.

E. Neumann, *The Great Mother* [A Grande Mãe], Londres, 1955.

M. E. Harding, *Woman's Mysteries* [Os Mistérios da Mulher], Londres e Nova York, 1935.

J. Hillman, "Friends and Enemies" [Amigos e Inimigos], *Harvest*, 8, (*Analyt. Psychol. Club* – Clube de Psicologia Analítica), Londres, 1962.

A. Guggenbühl-Craig, "Must Analysis Fail Through its Destructive Aspects?" [Deve a Análise Fracassar em Função do seu Aspecto Destrutivo?], *Spring*, 1970, Nova York, 1970.

CAPÍTULO VI

C. G. Jung, "Anima and Animus", *Collected Works*, 7; "Anima and Animus", *Collected Works*, 9/ii; "Concerning the Archetypes, with Special Reference to the Anima Concept" [Sobre os Arquétipos, com Especial Referência ao Conceito de Anima], *Coll. Wks.*, 9/i; "An Account of the Transference Phenomena Based on the Illustrations of the *Rosarium Philosophorum*" [Uma descrição dos Fenômenos de Transferência com base nas Ilustrações do *Rosarium Philosophorum*], *Coll. Wks.*, 16.

Emma Jung, *Animus and Anima*, Spring Publications, 1969, 3ª ed., Nova York.

Frances Wickes, *The Inner World of Choice* [O Mundo Interior da Escolha], caps. 11 e 12, Nova York, 1963.

L. Fierz-David, *The Dream of Poliphilo* [O Sonho de Polifilo], Série Bollingen, Nova York, 1950.

J. Hillman, *Insearch* [Busca Interior], cap. 4, Nova York, 1917.

E. C. Witmont, *The Symbolic Quest*, cap. 12, Nova York, 1969; *A Busca do Símbolo*, Ed. Cultrix, São Paulo, 1989.

PRÓXIMOS LANÇAMENTOS